EU SOU

BREVIÁRIO DO INICIADO
E PODER DO MAGO

DR. JORGE ADOUM
(Mago Jefa)

EU SOU

BREVIÁRIO DO INICIADO E PODER DO MAGO

Editora
Pensamento
SÃO PAULO

1ª edição 1980.

16ª reimpressão 2014.

EDITORA PENSAMENTO-CULTRIX LTDA.
Rua Dr. Mário Vicente, 368 – 04270-000 – São Paulo, SP
Fone: (11) 2066-9000 – Fax: (11) 2066-9008
E-mail: atendimento@editorapensamento.com.br
http://www.editorapensamento.com.br
Foi feito o depósito legal.

Impressão e acabamento: *Orgrafic Gráfica e Editora*

A meu Amigo Najib Yafet = Raio nas trevas.

O Autor

OBRAS DO MESMO AUTOR

PODERES ou O Livro que Diviniza
AS CHAVES DO REINO INTERNO
O POVO DAS MIL E UMA NOITES
ADONAY (Novela Iniciática do Colégio dos Magos)
A ZARZA DE HOREB
MISTÉRIOS
O LIVRO SEM TÍTULO DE UM AUTOR SEM NOME
REVIVER O VIVIDO
O REINO OU O HOMEM DESVELADO
RASGANDO VÉUS OU A DESVELAÇÃO DO APOCALÍPSE
GÊNESIS RECONSTRUÍDA
O BATISMO DA DOR
DO SEXO À DIVINDADE
SÉRIE: ESTA É A MAÇONARIA (7 vol. 1.º ao 9.º grau)
A MAGIA DO VERBO
20 DIAS NO MUNDO DOS MORTOS

COMENTÁRIO

Médico de renome e extraordinário esoterista, sob o pseudônimo de Mago Jefa, o Dr. Jorge Adoum foi um autor que mais produziu no terreno da Metafísica, sem que a ampla coletânea de seus trabalhos tivesse prejudicado a qualidade dos assuntos abordados.

Nascido no Líbano, residiu muito tempo no Brasil, onde desencarnou em Petrópolis, Estado do Rio, no dia 4 de maio de 1958. É considerado por seus discípulos um mestre de condições excepcionais no difícil caminho, que exige a superação pessoal e o vislumbre dos níveis superiores da existência.

A essência do presente livro baseia-se na premissa de que — EU SOU — é a expressão da Presença da Divindade em cada ser humano, isto é, a parte espiritual que, como vida, inteligência e atividade atua em cada pessoa. A finalidade desta obra é preparar-nos para sentir, conscientemente, nossa união com o Deus Íntimo, alcançando, assim, as chaves do saber, do poder e do amor.

Cada aspirante deve saber — diz o autor — que é o único criador de seu mundo e faz parte da criação do mundo dos outros, por meio de seus sentimentos, pensamentos e ações.

O caminho para atingir esta realização é destacado, passo a passo, através de uma série de auto-afirmações do — EU SOU — que tem por finalidade mobilizar a substância única da qual o Criador formou o céu e a terra, obrando sobre esta Luz e fazendo a Natureza submissa às modificações da Inteligência. Para tal fim, o Dr. Jorge Adoum adota uma afirmação mental-emocional para cada dia do ano, a ser praticada como tema de concentração, esquematizando um curso de verdadeira iniciação interna do indivíduo, de acordo com as necessidades físicas e morais indicadas, que lhe permitirão alcançar saúde e felicidade espiritual e material, como jamais tivera.

— EU SOU — é, desta forma, a Presença Divina em cada ser, iluminando todo o discípulo, que, ao defrontar-se com esta obra, aspire consagrar-se à Vida Superior, para descobrir o âmago (ou arcano) da Sabedoria das Idades, que lhe poderá dar, logo, a melhor compreensão do Universo, que o circunda, e o alcance de uma vivência plena de harmonia com o próximo. "Quando o homem mantém, com determinação, a atenção em — EU SOU — a perfeição manifestar-se-á em todas as experiências da Vida".

Este livro reúne, pois, as características de um prático breviário a todos os espiritualistas, recomendável, sem distinção de escolas, pois suas páginas transmitem ensinos de alto valor permanente, coroados por uma pura mensagem de amor.

Os Editores

PREFÁCIO

Ao cumprirmos o dever de divulgar mais esta importante Obra, queremos prestar alguns esclarecimentos.
O autor, ao escrever este livro, não se preocupou em realizar uma obra literária. Buscou expressar o espírito da Obra, e não se preocupou em burilar frases e enfeitar o seu pensamento com palavras coloridas.

Ao procedermos a tradução, procuramos seguir o mesmo objetivo do autor.

Cumpre-nos ainda relembrar ao leitor, que não julgue o livro todo por uma ou várias frases; leia primeiramente todo o livro para sentir o seu objetivo e ter uma noção do conjunto; assim poderá apreender e compreender o que o autor escreveu. O assunto é delicado e transcendental. Daí, a nossa sugestão.

Servimo-nos ainda deste ensejo, para reafirmar ao autor, o nosso preito de profunda gratidão.

Comissão Divulgadora Jorge Adoum

Março de 1974

Caixa Postal, 54

Cidade de Santos Dumont — MG — Brasil

PROMESSAS

EU — N. N. prometo seguir fielmente, durante o ano, todas as instruções deste curso, ajustando-me a seus ensinamentos e instruções.

EU SOU — Em vossas mãos serão depositadas as Chaves do Poder: O que atardes na terra será atado no céu, e o que desatardes na terra será desatado no céu.

AO LEITOR

Ponho nas vossas mãos as Chaves do Saber, do Poder e do Amor para a vossa felicidade e ventura. Vossa é a culpa se não as quiserdes usar. As condições são sempre as mesmas do princípio: Saber, Querer, Ousar e sobretudo Calar.

Estes ensinamentos deveriam ser preparados para um extensíssimo curso interno que abarcaria 365 semanas ou os 7 anos, que exige uma verdadeira INICIAÇÃO INTERNA. Quem os põe nas vossas mãos, as reduziu a 365 dias, carregando, naturalmente, com as responsabilidades do caso.

Deveis saber que — EU SOU — é A PRESENÇA DE DEUS EM CADA SER HUMANO. Nunca se deve esquecer isto. EU SOU (é) A VIDA, A LUZ, A SUBSTÂNCIA, A INTELIGÊNCIA E A ATIVIDADE (Nele vivemos, nos movemos e temos o ser), de uma maneira inconsciente. O objetivo destas práticas é prepararmo-nos para sentir conscientemente nossa união com o PAI — EU SOU — o DEUS ÍNTIMO.

O homem tem dois "Eus", ou está composto de duas entidades: o Eu pessoal, o corporal, o objetivo ou CARNAL como o chama São Paulo, e que tem sua própria mente; e o EU SOU, os quais por meio de seus atributos, (o corpo físico e a mente) têm vida e podem mover-se.

Cada vez que o homem diz — EU SOU — a substância única da qual Deus formou o céu e a terra, se põe em movimento. "Que a Luz seja feita", e, o fluido e a vibração se puseram em movimento. Dizer — EU SOU — é trabalhar sobre esta Luz, e por seu meio, sobre toda a natureza submissa às modificações da Inteligência.

Nem todos os que me chamam: "Senhor! Senhor! serão salvos, mas somente os que cumprem a vontade do Pai que me enviou". Pois assim também, não só é suficiente invocar a PRESENÇA — EU SOU — e cruzar os braços, esperando que os pedidos sejam atendidos por obra e graça, ou que alguém os faça sempre por nós; ao contrário, devemos ser bons filhos, bons pais, bons esposos, bons amigos e bons cidadãos, e em cada um destes postos há muitos deveres para cumprir.

Para a realização perfeita é mister cumprir certas condições:

1º — Ter um corpo são;

2º — Ter uma aspiração pura;

3º — Ter uma consciência perfeita.

Para ter um corpo são, é necessário praticar as indicações seguintes que podem ajudar muito.

Ao despertar-se, praticar alguns exercícios respiratórios, pelo menos sete vezes, e que consistem em fazer 7 inspirações rítmicas com a maior pureza de pensamento. Qualquer exercício é bom, porém indicamos o mais simples e menos prejudicial.

Aspirar lentamente pelo nariz contando mentalmente até oito palpitações do próprio coração, ou oito segundos.

Reter o alento, durante quatro segundos nos pulmões.

Exalar o ar durante oito segundos até esvaziar totalmente os pulmões.

Reter os pulmões vazios durante quatro segundos.

Se se pode praticar este exercício mais de sete vezes, é melhor.

Depois dos exercícios respiratórios, é muito recomendável praticar outros exercícios de ginástica sueca, durante quatro a cinco minutos, para conservar a flexibilidade da coluna vertebral. Depois destes exercícios, já se poderá começar com a afirmação de cada dia como será explicado depois.

É necessário banhar-se freqüentemente, sem castigar o corpo com água muito quente ou muito fria. Os banhos de sol no corpo, menos na cabeça, são muito úteis.

Curar a prisão de ventre. Para este fim, tomar de meia em meia hora 30 gramas de água pura, isto é: uma colher de sopa. Fazer uso de bastante frutas frescas, e lavar os intestinos com um "clister" de água morna, pelo menos uma vez por semana, até que se normalize a digestão.

É permitido comer e beber de tudo, empregando o bom senso: usar e não abusar.

A saúde mental e a tranqüilidade de consciência são muito necessárias para a aquisição da saúde do corpo. O sexo tem que ser controlado com prudência. Os vícios solitários e antinaturais abrem no invólucro áurico certas fendas por onde penetram os elementais inferiores os quais, amiudadamente, dão passagem a certos elementários (chamados espíritos), para dar vazão a suas paixões e baixos desejos. Estes vícios e a luxúria inutilizam a ação do — EU SOU — em seu corpo-templo.

Nunca o aspirante deve criticar ou julgar os demais.

É necessário mastigar suficientemente o alimento. Cada tipo tem que buscar o alimento e a vida mais adequada para seu temperamento. O tipo físico caracterizado pela largura e robustez das mandíbulas, tem que vigiar a marcha do estômago, fígado e intestinos; o tipo mental, dos pulmões; e o espiritual deve revigorar os órgãos sexuais com respirações profundas e banhos genitais com água fresca.

O exercício da afirmação diária consiste em sentar-se em posição ereta e entrelaçar os dedos das mãos tendo as polpas dos polegares encostadas uma na outra. Depois disto formular o desejo e aspirar obtê-lo com muita nitidez, decisão e certeza; logo inspirar, lentamente pelo nariz, até encher os pulmões, reter o alento o maior tempo possível mas, sem se fatigar. É muito benéfico, durante esta retenção, rezar o PADRE NOSSO conforme o ensina o MESTRE no Evangelho e meditar no significado de cada frase, tal como explicamos em nossa obra "A Magia do Verbo", dirigindo cada pedido a um centro magnético do corpo.

Ao exalar, deve afirmar em voz baixa, porém audível, a afirmação do dia, sete, catorze ou vinte uma vezes. PORÉM DURANTE O DIA E SEM EXERCÍCIOS RESPIRATÓRIOS SE DEVE AFIRMAR CENTENAS DE VEZES COM A MENTE ATENTA E CONSCIENTE NO QUE SE AFIRMA.

Quem mantém os seus pensamentos em um ideal, infalivelmente o realizará. O pensamento é o homem; "tal como pensa o homem em seu coração, assim é ele".

Durante a prática, é mister distanciar da mente toda tristeza, preocupação e dúvida, porque estes estados atraem ao corpo átomos negativos. INVOCAR "EU SOU", ASPIRAR COM ALEGRIA E INSPIRAR COM FORÇA, EXTERMINA TODOS OS ÁTOMOS DESTRUIDORES DO CORPO (Ver as CHAVES DO REINO INTERNO) e (O REINO OU O HOMEM DESVENDADO).

EU SOU A PRESENÇA DIVINA que ilumina a todo aspirante que quer dedicar-se à vida superior, para descobrir todas as sabedorias das idades.

Sua dedicação o dotará de um caráter imaculado e será sexualmente forte e domador de suas feras internas.

Estes ensinamentos herméticos se praticavam há milhares de anos no Egito e eram revelados, somente, aos merecedores deles.

O aspirante deve saber que ele é o único modulador do seu mundo e copartícipe de formular os dos outros, por meio de seus sentimentos, pensamentos e atos. Desta maneira, nunca deve esquecer do seu dever permanente de carregar a mente, o corpo, o lugar, o mundo e toda atividade COM O AMOR de — EU SOU — e o próprio mundo se converterá em Paraíso.

Três vezes por dia, deve praticar a concentração durante cinco minutos de cada vez; nestes momentos deve emudecer o externo ou fechar a porta do aposento, como ensina Jesus. Deve meditar em silêncio e logo chamar à — EU SOU A PRESENÇA DE DEUS EM AÇÃO — e todo desejo construtivo se realiza como por milagre. A meditação durante os cinco minutos deve ser como invocação da mente pessoal objetiva a EU SOU e A AFIRMAÇÃO SERÁ COMO A RESPOSTA DE EU SOU À INVOCAÇÃO. Exemplo: O aspirante quer ajudar ao governante de seu país, então deve proceder da maneira seguinte:

1º Pensar que o governante é um homem justo, reto, honrado e que foi eleito por merecimento para dirigir sabiamente a nação. Mesmo que ele não possua estas virtudes e que não esteja praticando seus deveres, deve o aspirante abrir canais com a Luz do EU SOU, nesse governante, e despertar-lhe estas virtudes e fortalecê-lo no cumprimento de seus deveres.

2º Praticar o exercício respiratório descrito anteriormente, e ao exalar deve afirmar.

3º A afirmação será: "EU SOU O ACERTO, A JUSTIÇA E A RETIDÃO NESTE GOVERNANTE".

Desta maneira, o discípulo se converte em Salvador do mundo e não como crêem alguns, que por meio da revolução e derramamento de sangue, podem melhorar a situação.

Foi-nos ensinado que, quando um homem diz, com pureza — EU SOU — projeta uma espécie de fogo de cor violeta que consome e dissolve toda criação discordante de sua aura.

É a chama da Sarça de Horeb, a chama do PURO AMOR DIVINO que está esperando o sentimento e o pensamento do homem para converter-se em ação dinâmica, em sua mente, corpo e aura e para limpá-lo de toda imperfeição, e assim EU SOU poderá derramar, através dele, luz, amor e poder sem entorpecimento.

Todo homem arrasta um saldo de erros através de sua larga **existência no mundo**. Com pensamentos e evocações discordantes, ele criou, na atmosfera que o rodeia, formas nocivas, horríveis e desagradáveis que atuam segundo suas índoles de vibrações; porém por outro lado, EU SOU DEUS EM AÇÃO emana sempre um fogo consumidor de toda impureza e formas malignas criadas pelo homem e é ao homem a quem toca aplicar a CHAMA DO AMOR DIVINO para destruí-las, consumir todas suas próprias criações e purificar a mente, o corpo e o seu mundo. ESTE É O PERDÃO DOS PECADOS. Esta é a liberação de todas as limitações e imperfeições.

Cada indivíduo deve purificar-se de suas próprias criações mediante o amor a seus semelhantes. Ninguém se pode salvar sozinho, pois para salvar-se, tem que salvar aos demais com ele. Ninguém pode escapar à Lei do AMAI-VOS UNS AOS OUTROS. Inúteis são as igrejas, as orações, as religiões e as escolas, sem esta lei. Todas elas, com seus monumentos, não se podem nivelar com esta frase de cinco palavras: AMAI-VOS UNS AOS OUTROS. Antes de pensar em si mesmo, deve pensar nos demais. EU SOU A CHAMA DO AMOR DIVINO QUE PURIFICA A SUBSTÂNCIA MENTAL, EMOCIONAL E FÍSICA, DISSOLVE E CONSOME EM MEUS IRMÃOS E EM MIM TODO O IMPERFEITO E VIVIFICA NOSSO CORAÇÃO PARA AMAR COMO EU SOU, AMA.

A Chama do Amor Divino acelera as vibrações nos três corpos, a um grau tal, que no indivíduo nenhuma imperfeição densa ou baixa pode subsistir. Só O AMOR DIVINO AOS DEMAIS PODE OBRAR ESTE PRODÍGIO e exercitar o discípulo para convertê-lo em Mestre e Salvador do mundo.

O REINO DE DEUS É O REINO DA CHAMA DO AMOR DO QUAL NOS FALA JESUS, em seu Sermão da Montanha: "Pedi o reino de Deus e seu reto uso", pois o Reino ou a chama do amor é todo gozo, vitória, liberdade, perfeição, glória, beleza, abundância etc. Todos estes dons devemos criá-los no próximo para que se reflitam em nós e para que a personalidade seja consumida com seus medos e seus temores.

O uso consciente das afirmações diárias, em proveito do próximo, ativa e projeta o fogo divino com maor facilidade e assim se cumprem as palavras de Jesus quando nos disse: "Maiores coisas fareis". A Chama Divina é a Fonte de Todo Poder que emana do Coração de Deus; somente pelo uso constante com consciência e altruísmo, o aspirante aniquila aos dois ladrões da felicidade humana que são: o temor e a dúvida.

Todo indivíduo pode chegar à perfeição nesta terra; porém nem todo ser humano quer chegar a ela. Quando o homem mantém, com suficiente determinação, sua atenção em EU SOU, a perfeição se manifestará em todas as experiências de sua vida. Eu sou fabricante de magos, dizia um ser audaz; porém, assim como para fabricar ouro se necessita de ouro, assim também para fabricar magos, é mister seres com substância de magos.

O Fogo Sagrado mantém e realiza tudo o que existe no céu e na terra. É a PRESENÇA — EU SOU — mediante a qual, todo ser humano pode expressar A LEI DIVINA EM AÇÃO. Aquele que usa este fogo, por meio da afirmação consciente, forma em volta de sua mente, corpo, lugar, mundo e todos os assuntos, uma aura de intensa luz e receberá as bênçãos que transcendem aos seus mais caros desejos e acariciados sonhos.

Se os médicos e enfermeiros soubessem o manejo desta chama consumidora, poderiam atuar e dar ajuda que não tem limite, a seus enfermos, sem serem afetados nem contaminados por estas mesmas enfermidades.

Se os professores manejassem o poder da Chama Divina em seus discípulos, poderiam ensinar com um transcendental adianto, durante longo tempo, sem sentir cansaço nem esgotamento. Se os comerciantes e negociantes a empregassem, evitariam o engano, o roubo, a intriga e a discórdia da humanidade.

Discípulo!

Se os mestres, políticos, sacerdotes e demais dirigentes da humanidade não querem ou não se apercebem da Presença da Chama para utilizá-la, vós tendes o dever de usá-la para eles. Vós estais obrigados a converter-vos em luz, guia e salvador deles. Vós tendes que manter e atiçar, por meio do amor e da afirmação, esta Chama, esta LUZ INEFÁVEL neles. A missão do Super-homem, do Ser Excelso, é a de intensificar o Fogo DIVINO em seus semelhantes, para que não resistam ao fluxo de EU SOU DEUS EM AÇÃO EM CADA UM DELES, e assim vibrarão harmonicamente em uníssono com a Lei, até que chegue a eles a compreensão para responderem seu chamado.

Esta é a missão do discípulo e salvador. Não pensar em si mesmo e dedicar todos os seus esforços para salvar aos demais. Não esperar nada de ninguém e que esteja preparado para dar tudo.

∴

Quem dá recebe. Praticai as afirmações com amor impessoal durante cinco ou dez minutos cada dia; antes de um ano sentireis tal liberdade e tal bem-estar no corpo, tal iluminação na mente, tal acerto nos trabalhos e tal poder nos pensamentos e palavras que já não quereis fazer outra coisa senão continuar esta prática. Porque EU SOU A PLENITUDE DO AMOR e na plenitude do amor estão todas as coisas desejadas.

Estamos seguros de que estas sementes que semeamos hoje, nos corações e mentes dos homens, não serão aproveitadas senão por cinco ou dez por cento dos que as recebem. Os demais, por encontrá-las simples ou porque não custam muito dinheiro, ou por não compreendê-las, não as saberão apreciar; mas nós somos os semeadores da Mãe Natureza, a que tem a seu cargo a vida e o crescimento das sementes.

Todo desejo, aspiração ou anelo é uma chamada do eu pesssoal ao Íntimo EU SOU. É Sua Vontade que quer manifestar-se no externo.

Quando o discípulo pede, deve compreender que o Eu externo é o que chama a EU SOU DEUS ÍNTIMO o qual governa a substância e a energia para que decrete sua expressão.

∴

EU SOU é a Poderosa e Infinita Presença de Deus em ação que tem em seu poder todos os princípios de vida e atividade no mundo e em cada ser. De sua poderosa essência nos chega tudo o que É. É a Onipotência da Vida. É a Onipresença da Luz. É DEUS em ação que governa e guia as mentes humanas para a Verdade e a Justiça.

∴

Deus é Vida e a Vida é Amor, Paz, Harmonia e Bem-Estar. A Ela não lhe interessa quem a use; é como o sol que ilumina o bom e o mau, ao lobo e ao cordeiro. EU SOU é a própria Vida ativa, e quando um homem diz — EU SOU — faz vibrar todo o poder da Vida e abre a porta a seu eflúvio e fluxo naturais, porque EU SOU é a plena atividade de Deus e por tal motivo, nunca, jamais o discípulo deve consentir que seu pensamento venha a colocar uma negatividade a EU SOU ou venha entorpecer a atividade DESSA VIDA como quando diz: "eu não posso", "já estou aniquilado", "não sou feliz" etc.. . . porque com estas afirmações inutiliza a energia de Deus que está em si mesmo e em seu mundo.

Devemos saber que ao dizer — EU SOU — estamos invocando a ação de Deus em nós e em nossa vida, e desta maneira, abrimos a porta à poderosa Inteligência para expressar-se no mundo externo. Para isto, é necessário acalmar-se tomando assento e acalmando o Eu externo. Isto nos abastecerá da Energia, cada vez que dela necessitamos.

Não se deve pôr atenção sobre uma coisa que não queremos.

O sentimento alegre é mais eficaz do que todos os esforços desesperados e tristes, porque alegria significa amor, e amor é a liberdade de Deus que se manifesta em tudo.

.·.

Todo ser humano deseja a perfeição, a formosura e a abundância; isto demonstra que — EU SOU — ao querer expressar estes seus atributos, acende o desejo na mente e no coração do homem, para que este lhe sirva de instrumento de manifestações. Se o ser humano permite à PRESENÇA — EU SOU — que está nele, que atue conscientemente, ELA influirá sobre o corpo, fazendo-o mais puro e perfeito, mais belo e harmônico.

Todo ser humano pode entrar no Reino do — EU SOU — e pedir que sua vontade seja feita, assim no céu mais elevado do ser, como na terra mais densa do corpo físico. A isto se refere a sábia afirmação Bíblica: "Permanecei tranqüilos e sabei que EU SOU DEUS", isto é: deve-se acalmar a mente para que EU SOU atue com seu poder dinâmico na vida de cada um. Isto confirma que cada forma externa não é senão a vestidura do — EU SOU — que a usa para expressar-se na oitava mais densa em que o ser humano está submergido.

1

EU SOU O QUE O CRIADOR É.

Jesus disse: Deus é Espírito e aqueles que O veneram devem venerá-Lo em Espírito e em verdade.

Então Deus não é um ser com qualidades e defeitos. É Lei, é Força e é Amor, ou seja, a Energia que modula tudo o que é visível e invisível.

Onde está Deus? Em todas as partes. Está então em ti? Sem dúvida, porque NELE vivemos, nos movemos e temos o ser. Então, por que buscas a Deus em todas as partes, antes de senti-Lo dentro de ti? ELE é teu ser, ELE é tua vida, ELE é teu poder, ELE é tua substância. ELE ÉS TU. TU ÉS ELE. . .

Devemos repetir esta afirmação milhares de vezes, e antes de cada afirmação diária, porque é a transcendental expressão que demonstra a Divindade do Homem.

Quem és tu? pergunta Moisés e Deus responde sem poder definir-se: EU SOU O QUE EU SOU (AH YEH ASHER AH YEH).

O homem tampouco pode definir-se a si mesmo e diz:

EU SOU.

E assim vemos que, "O que está em cima é igual ao que está embaixo e o que está embaixo é igual ao que está em cima".

"Em cima sou Espírito incorpóreo; embaixo sou Espírito encarnado". Logo:

EU SOU O QUE O CRIADOR É.

2

EU SOU O QUE O CRIADOR É. LOGO:

EU SOU ELE. ELE É EU.

Deus é expressão (Fazer pressão para fora).

A vida manifestada em todas as suas atividades harmônicas, é o próprio Deus em ação.

Unicamente o homem pode alterar a harmonia da manifestatação, ao empregar os conceitos errôneos de seu intelecto ou mente carnal.

A vida é amor, paz e felicidade. Mas, a ignorância do homem a muda em ódio, guerra e desventura.

Já chegará a hora e a hora é, em que o homem deve expressar a vontade divina e declarar:

EU SOU DEUS EM AÇÃO.

EU SOU A PRESENÇA DIVINA EM TODOS OS SERES.

Logo: EU SOU ELE, ELE É EU.

3

EU SOU O QUE O CRIADOR É. LOGO:

EU SOU A PRESENÇA DA SAÚDE E DO BEM-ESTAR EM TODO SER.

Dizer: "Eu não posso". "Eu me canso", é tratar de sufocar a Divina Presença em nós.

São Paulo disse: "NELE vivemos, nos movemos e temos o ser".

Se NELE vivemos, logo não se pode dizer: "eu me morro", "eu estou doente". A lei da negação é criação da mente humana.

Devemos afirmar sempre:

EU SOU A PRESENÇA DIVINA QUE ATUA SEMPRE PELO BEM-ESTAR DO MUNDO.

EU SOU A FONTE INESGOTÁVEL DA SAÚDE E DO BEM-ESTAR.

4

EU SOU O QUE O CRIADOR É. LOGO:

EU SOU A PROVIDÊNCIA QUE ESTÁ EM TODO SER E QUE GUIA A TODO SER

Deus está em tudo e onde está Deus não poderão existir condições adversas.

Nunca se deve esquecer esta verdade. Dizer EU SOU é chamar a Inteligência e o Poder com toda a sua maravilhosa expressão.

EU SOU é a PRESENÇA do Absoluto que deve impregnar a inteligência e a imaginação do homem, por meio da repetição e concentração, até que ambas as faculdades tenham a convicção ao dizer: **EU E O PAI SOMOS UM.**

EU SOU A PROVIDÊNCIA QUE GUIA A TODO SER.

5

EU SOU O QUE O CRIADOR É. LOGO:

EU SOU A PRESENÇA DIVINA EM PERFEITA EXPRESSÃO.

Toda imperfeição é a expressão da ignorância do homem.

Os erros do passado formaram o homem atual com a dissonância e desarmonia do mundo presente.

Seguir com os mesmos erros é aceitar a limitação. A imperfeição é filha do intelecto.

Esta lei não admite discussão nem reforma.

A liberdade e a liberação estão em:

EU SOU A PRESENÇA DIVINA EM PERFEITA EXPRESSÃO.

6

EU SOU O QUE O CRIADOR É. LOGO:

EU SOU A VERDADE DIVINA PRESENTE QUE ELIMINA TODA MENTIRA.

O abuso do poder espiritual em pensamento e palavras, converte-se em magia negra e bruxaria. Os bruxos são aqueles que desviam a mente da verdade.

O poder do Verbo usado para enganar em política, em sectarismo, nacionalismo, etc., ... afasta o homem da Verdade Interna. Para livrar-se destas mentiras devemos repetir sempre e em cada ocasião semelhante:

EU SOU A VERDADE QUE LIBERA A TODO SER.

7

EU SOU O QUE O CRIADOR É. LOGO:

EU SOU A CHAMA DO PERDÃO QUE CONSOME TODO ERRO.

Cada homem é — EU SOU — que tem um Eu pessoal.

Para que — EU SOU — possa se manifestar é necessário que o EU pessoal esteja em calma.

Repetir mentalmente várias vezes — EU SOU — produz calma no Eu e em seu intelecto.

Aspirar, respirar e repetir conscientemente sentindo a identificação:

EU SOU A PRESENÇA DIVINA EM MIM (EM TI).

Elimina do interior os vícios e velhos hábitos. Todo hábito é uma camisa suja e mal cheirosa.

A tristeza é filha do abuso; a alegria é o fruto do dever cumprido.

Para sermos alegres, e devemos ser alegres, é necessário eliminar os vícios e os velhos hábitos. Repetir:

EU SOU A CHAMA DIVINA QUE QUEIMA E CONSOME TODO ERRO DO EU PESSOAL.

8

EU SOU O QUE O CRIADOR É. LOGO:

EU SOU DEUS EM AÇÃO NESTE MEU EU OBJETIVO E EM TODO SER.

Feliz o homem que repete esta afirmação, conscientemente, porque sua mente deixa de discutir e aceitará a verdade. Esse EU-HOMEM está no caminho de dominar o mundo.

Não esqueça nunca que aceitar esta verdade, conscientemente, é convertê-la em realidade: EU SOU DEUS EM AÇÃO.

9

EU SOU O QUE O CRIADOR É. LOGO:

EU SOU DEUS EM PERFEITA EXPRESSÃO NESTE MEU EU PESSOAL.

Quando uma imagem construtiva aparece na mente, converte-se em realidade, ao concentrar nela.

Quando o EU-HOMEM começa a sentir e saber que — EU SOU — a ação perfeita, que se expressa por ele, então constatará sua irradiação no externo e sentir-se-á uno com ELE. Devemo-nos acalmar e repetir:

EU SOU DEUS EM PERFEITA EXPRESSÃO.

10

EU SOU O QUE O CRIADOR É. LOGO:

EU SOU A RESSURREIÇÃO E A VIDA.

Quando Jesus proclamou esta verdade, proclamou com ela a divindade do homem.

Mas, quando disse — EU SOU — não se referiu à sua personalidade externa, se não à Presença de Deus íntimo NELE; porque várias vezes repetiu:

"Eu por mim nada posso fazer, é o Pai que está em mim — o EU SOU quem realiza as obras."

EU SOU A RESSURREIÇÃO E A VIDA.

11

EU SOU O QUE O CRIADOR É. LOGO:

EU SOU O CAMINHO, A VERDADE E A VIDA.

Jesus, sempre sentindo e vivendo esta verdade de que: EU SOU DEUS EM AÇÃO, que EU E O PAI SOMOS UM, começava cada afirmação de importância transcendental com as palavras — EU SOU — Quando o Eu concentra e sente esta verdade, principia a chegar à "estatura do Cristo", como diz S. Paulo e repete conscientemente com Jesus: EU SOU O CAMINHO, A VERDADE E A VIDA.

12

EU SOU O QUE O CRIADOR É. LOGO:

EU SOU A LUZ QUE ILUMINA A CADA HOMEM QUE VEM AO MUNDO.

Quando se vive esta verdade, o homem se converte, para seus semelhantes, em uma Luz que ilumina as trevas de sua inteligência e do intelecto. Seu amor rasgará o véu da ignorância e — EU SOU — iluminará o coração e a mente de cada ser. Devemos repetir com Jesus: EU SOU A LUZ QUE ILUMINA A CADA HOMEM QUE VEM AO MUNDO.

13

EU SOU O QUE O CRIADOR É. LOGO:

EU SOU O PODER EXPRESSADO EM AMOR, SABEDORIA E VERDADE.

Devemos viver esta afirmação e cada passo dado corresponde à liberação e cada afirmação encaminha-nos à regeneração.

(NOTA) — De agora em diante o aspirante já pode e deve dirigir suas afirmações pelo bem dos demais homens.

Exemplo: Pensar em um ser necessitado e desorientado, e repetir: EU SOU O PODER DIVINO EXPRESSANDO-SE DO INTERNO EM AMOR, SABEDORIA E VERDADE NESTE SER. O resultado será maravilhoso naquele e para aquele homem. Assim o aspirante se converte em salvador da Humanidade, e quem dá recebe com acréscimo, embora o Salvador pense sempre em dar e não em receber.

14

EU SOU O QUE O CRIADOR É. LOGO:

EU SOU A PORTA ABERTA QUE NENHUM HOMEM PODE FECHAR.

Quem quer ter a chave do mistério e o poder da transmutação deve repetir esta afirmação. Nenhum homem pode fechar a porta do EU SOU; porém, a fecham: a discussão, o orgulho, a arrogância, o muito falar e vangloriar-se de seu poder e saber. Estes ensinamentos foram provados através de todos os séculos que EU SOU A PRESENÇA ATIVA DE DEUS EM TODO EU QUE ACEITA E VIVE ESTA VERDADE.

Repitamos com Jesus:

EU SOU A PORTA ABERTA QUE NENHUM HOMEM PODE FECHAR.

15

EU SOU O QUE O CRIADOR É. LOGO:

EU SOU DEUS EM AÇÃO NESTE MEU CORPO E ATRAVÉS DE MINHA MENTE.

Assim se pode compreender que cada movimento que se faz é DEUS EM AÇÃO, e cada pensamento na mente é a ENERGIA DE DEUS que capacita para pensar. Este é um fato sem discussão; mas o homem ou o Eu pode pensar mal e agir incorretamente; por isto, deve afastar-se da expressão falsa e externa para afirmar-se na interna, que emana da Poderosa Presença de Deus e dizer: EU SOU DEUS EM AÇÃO NO CORPO E ATRAVÉS DA MENTE.

16

EU SOU O QUE O CRIADOR É. LOGO:

EU SOU A INTELIGÊNCIA QUE GUIA A CADA SER.

Devemos repetir esta convicção antes de empreender qualquer trabalho e antes de sair para nossos afazeres.

Em cada movimento que o homem empreende, deve aprender e sentir que é DEUS EM AÇÃO e não como supõe que sua mente carnal ou intelecto é o verdadeiro autor e criador.

Devemo-nos voltar à própria Divindade e repetir sempre:

EU SOU A INTELIGÊNCIA QUE GUIA MEUS ATOS E MEUS PASSOS.

17

EU SOU O QUE O CRIADOR É. LOGO:

EU SOU A LUZ DO MUNDO E QUEM ME SEGUE NÃO ANDA NAS TREVAS. NINGUÉM VAI AO PAI A NÃO SER POR MIM.

O Cristo é a primeira expressão do Pai. É o Verbo que se fez carne. É a Luz do mundo, que está dentro e fora do homem.

Em Jesus falou e se expressou o Cristo em toda a sua beleza e grandiosidade, para mostrar à humanidade e para demonstrá-la que o caminho para o Pai é o Amor, a Doçura, o Poder, o Querer, o Saber. Jesus foi o ser sublime em que habitou e falou o Cristo com a maior e a mais elevada expressão. (O Poder do Amor, o Querer do Amor) EU SOU A LUZ DO MUNDO, assim falou o Cristo em Jesus. Sigamos as pegadas de Jesus, sigamos os seus ensinamentos, e em nós falará e se expressará o Cristo para nos guiar à superação, ao amor, ao serviço em benefício da Humanidade e felicidade de todos.

18

EU SOU O QUE O CRIADOR É. LOGO:
EU SOU O BEM-ESTAR EM CONTÍNUA EXPRESSÃO.

Esta afirmação não tardará em vir à expressão sempre que se mantenha com consciência determinada e trará ao indivíduo o que ele pode realizar e usar.

Devemos pedir com firmeza, sem dúvida, sem vacilação, sem temor e, sobretudo, devemos pedir pelos demais: EU SOU O BEM-ESTAR EM CONTÍNUA EXPRESSÃO.

19

EU SOU O QUE O CRIADOR É. LOGO:
EU SOU O AMOR E BEM-ESTAR NESTE MEU EU E EM TODO MEU SER.

Se alguma pessoa se separou do Bem-Estar e inteligência é porque lhe faltou o amor, ao fixar demasiado sua atenção nas aparências externas.

O Bem-Estar é a herança de todos e cada um pode consegui-lo dirigindo-se ao Grande Pai, o Todo Saber e Todo Amor, que nunca quer que falte uma só coisa a nenhum de seus filhos. EU SOU O AMOR E O BEM-ESTAR NESTE MEU EU E EM TODO SER.

20

EU SOU O QUE O CRIADOR É. LOGO:
EU SOU A RESSURREIÇÃO E A VIDA.

É a melhor afirmação para o domínio da força vital do sexo. A Força Criadora do Sexo, transmutada com inteligência, ajuda em qualquer caso da vida, em qualquer trabalho, governa o equilíbrio e conduz o homem aos mais altos planos do Amor, do Saber e do Bem-Estar.

Esta afirmação purifica o pensamento e dá as forças mais poderosas e alentadoras para a superação.

Nos momentos do despertar do sexo, devemos dar graças por possuirmos este poder criador e elevar o pensamento ao cérebro de onde desce a Energia Criadora e afirmar: EU SOU A RESSURREIÇÃO E A VIDA.

21

EU SOU O QUE O CRIADOR É. LOGO:
EU SOU A RESSURREIÇÃO E A VIDA NESTE MEU EU E EM TI.

Dirigir o pensamento e a afirmação a um determinado ser, fará com que a mente conceba as idéias mais surpreendentes com a habilidade e o poder de realizá-las e usar estes dons para a bênção da Humanidade.

Devemos gravar na mente a afirmação de Jesus. Repeti-la três vezes sete, e os resultados não tardarão a manifestar-se.

22

EU SOU O QUE O CRIADOR É. LOGO:
EU SOU A RESSURREIÇÃO E A VIDA.

É a afirmação que vence todas as dificuldades, suprimindo ou eliminando a incompreensão da mente, que trata de encontrar a solução somente no mundo exterior.

Qualquer situação amarga, incômoda, pode ser vencida com esta afirmação, seja no próximo ou em si mesmo.

Esta afirmação restabelece e equilibra as correntes mal dirigidas.

Cura e sara as enfermidades físicas e até rejuvenesce o aspecto físico.

23

EU SOU O QUE O CRIADOR É. LOGO:
EU SOU A RESSURREIÇÃO E A VIDA.

As poucas afirmações que Jesus nos deixou, quando usadas conscientemente, têm o poder do — EU SOU — e a ajuda individual do Grande Mestre.

Devemos contemplar o verdadeiro significado de cada afirmação, e então ao sentir e expressar — EU SOU —, se põe em movimento O GRANDE PODER DIVINO EM SI MESMO E NO PRÓPRIO EU PESSOAL, sem limitação, e recebemos o que desejamos ou propomos.

24

EU SOU O QUE O CRIADOR É. LOGO:
EU SOU O AMOR, O SABER E O PODER MANIFESTADOS EM TI (OU EM MIM).

Elimina toda criação mental externa e imperfeita e levará o EU a sentir que EU SOU DEUS EM AÇÃO.

Os defeitos externos não têm nada que ver com a perfeição ONIPOTENTE do EU SOU DEUS EM AÇÃO, porque são conceitos de erros mentais da Humanidade.

Se o homem aceita que EM DEUS VIVE, SE MOVE E TEM O SER, poderá sentir e ver a PERFEIÇÃO DE DEUS em tudo.

Devemos repetir: EU SOU O AMOR, O SABER E O PODER que se manifestam em mim com toda a PERFEIÇÃO.

25

EU SOU O QUE O CRIADOR É. LOGO:
EU SOU A LUZ QUE BRILHA NAS TREVAS DE MINHA MENTE.

Quando se abrem os olhos a esta verdade, todo desejo pela LUZ E VERDADE se converte em realização e toda a ENERGIA DO SER se dirige ao centro do cérebro. Esta afirmação com — EU SOU A RESSURREIÇÃO E A VIDA — são as chaves dos milagres realizados por Jesus. Cada vez que o homem empreende um trabalho construtivo, é — EU SOU DEUS — Quem lhe guia para fazê-lo.

26

EU SOU O QUE O CRIADOR É. LOGO:

EU SOU A RESSURREIÇÃO E A VIDA. EU SOU DEUS EM AÇÃO NESTE MEU EU.

Cada um tem que praticar por si mesmo para dar-se conta do Grande Poder que se encontra dentro de si.

Tudo o que se diga sobre a transcendental importância desta verdade é pouco.

Somos mensageiros desta verdade e afirmamos somente que os resultados são infalíveis e seguros, quando a usamos com firmeza e perseverança.

27

EU SOU O QUE O CRIADOR É. LOGO:

EU SOU O AMOR DIVINO QUE DIRIGE O MUNDO.

Esta afirmação elimina o desgosto, o rancor e o ódio entre os homens. Este é o fluxo divino que pode restabelecer a Paz, a Sabedoria e o Poder entre os homens de boa vontade.

Devemos sempre trabalhar incognitamente e que a ação se mantenha em sigilo. O silêncio é a primeira condição para o adiantamento e o êxito.

A alma forte não encontra jamais barreiras entre ela e o Amor Divino.

28

EU SOU O QUE O CRIADOR É. LOGO:

EU SOU A PRESENÇA DIVINA QUE ATUA EM CADA MENTE, CORAÇÃO E CORPO.

Esta afirmação elimina a dor e o mal estar criado pela ignorância do Eu pessoal e seu intelecto.

Poucos minutos de contemplação farão que a mente sinta que EU SOU A PRESENÇA INTELIGENTE E PODEROSA QUE ATUA NA MENTE, CORAÇÃO E CORPO, e esta Presença é o próprio Deus que enche cada uma de nossas células.

29

EU SOU O QUE O CRIADOR É. LOGO:
EU SOU DEUS EM AÇÃO EM MEU EU E EM CADA SER.

Aquele que sente esta verdade, já pode pedir e usar o desejo construtivamente e "tudo o que pedirdes vos será dado".

Quando o desejo é enviado pela "Presença, Poder ou Inteligência de Deus", não pode falhar. Deve trazer sua resposta.

Os pensamentos e os sentimentos são os PODERES CRIADORES DE DEUS EM AÇÃO.

Porém, os pensamentos e sentimentos mal usados trazem enfermidades, discórdias, desgraças e produzem o caos no mundo.

Esta afirmação e a anterior renovam completamente o corpo e sua expressão externa em um curto período, e a perfeição começa a manifestar-se em cada órgão, fazendo-o voltar à sua atividade normal e o homem será são e salvo.

Pedi e vos será dado. Mas pedi, AFIRMANDO.

30

EU SOU O QUE O CRIADOR É. LOGO:
EU SOU A CHAMA QUE CONSOME TODO ERRO.

Deus, sendo todo amor, nunca castiga pelos erros cometidos; mas o homem ao reconhecer sua falta, deve pedir sabedoria para não voltar a cometer o mesmo erro outra vez.

A Chama Divina consome todo erro com seu respectivo efeito e gera amor, centro de toda vida, que converte a chama consumidora em Luz do mundo que ilumina a toda mente até obter a verdade e a liberação do erro.

31

EU SOU O QUE O CRIADOR É. LOGO:
EU SOU A ONISCIÊNCIA NESTE MEU EU E EM TODO SER.
EU SOU A ONIPRESENÇA NESTE MEU EU E EM TODO SER.

Então, assim, viremos a compreender e a sentir que o Universo está em Deus; que o Universo e Deus não estão separados. Que o homem Criado está no Criador e EU SOU O CRIADOR está no homem.

Aquele que chamamos Deus — Aquele a quem damos muitos nomes, ESTÁ EM NÓS E NÓS NELE.

Busquemos primeiramente o Reino dentro de nós. Deixemos que a Luz desta divina verdade inunde a mente.

Repitamos estas afirmações. Sejamos felizes e demos graças, porque encontramos Deus em nós.

32

EU SOU O QUE O CRIADOR É. LOGO:

EU SOU O FOGO QUE CONSOME TODA CRIAÇÃO INDESEJÁVEL DESTE MEU EU E DE TODO SER.

Não se deve criticar e condenar a si mesmo e a Deus pelos erros cometidos. Quando o homem percebe o erro cometido deve sentir-se alegre porque lhe foi revelada a necessidade de emendar-se e corrigir-se. Tampouco deve criticar o próximo; ao contrário, deve repetir a afirmação anterior para eliminar a causa do erro.

A chama do fogo criador consome, dentro de si mesmo, toda escória mental e passional e o Eu exterior será um digno altar de Deus em seu templo-corpo.

33

EU SOU O QUE O CRIADOR É. LOGO:

EU SOU A PORTA QUE CONDUZ AO BEM-ESTAR, À SAÚDE E À BÊNÇÃO.

Quando o Iniciado fala em nome e poder do — EU SOU —, irradia uma energia disposta a cumprir o desejo e fazer realizar o mandato.

Converte-se na "porta aberta que nenhum homem pode fechar".

Atreve-te a fazer esta Poderosa Autoridade-Deus em ti, a senti-lo e a usar seu poder.

34

EU SOU O QUE O CRIADOR É. LOGO:

EU SOU A ENERGIA HARMÔNICA QUE ENCHE A MENTE E O CORPO.

Já entende o aspirante que se pode expressar a PERFEIÇÃO pela intensidade do desejo, da aspiração e da meditação?

Em poucos minutos se pode eliminar toda desarmonia do plano mental e físico e a PODEROSA ENERGIA que tudo domina, exclui todo elemento discordante.

35

EU SOU O QUE O CRIADOR É. LOGO:

EU SOU A PRESENÇA DA ENERGIA HARMÔNICA NA MENTE E EM CADA CÉLULA DO CORPO.

Pode-se com esta afirmação renovar qualquer órgão, qualquer nervo, levando-o à perfeição.

Devemos aplicar e praticar, e os resultados serão palpáveis.

A prática desenvolverá a Fé da Mente na Divindade Interna e a confiança a completará.

Quando falta energia em um membro ou quando se quer curar a um enfermo, tome-se a determinação firme e alegre e, dirigindo-se ao órgão débil, repita-se a afirmação anterior.

36

EU SOU O QUE O CRIADOR É. LOGO:

EU SOU A ENERGIA, A SAÚDE E A HARMONIA QUE LIMPA O CORPO E O MUNDO DE TODA COISA DISCORDANTE.

Sem nenhuma tensão na atitude do corpo, podemos banhar o mundo com as expressões construtivas e enviá-las aos trabalhos e negócios para que consumam tudo o que é destrutivo e substituí-lo com a ONIPRESENTE PERFEIÇÃO. Devemos purificar o que necessita de purificação.

Não é necessário falar em voz alta, mas sim, com tom firme. A sós em seu aposento pode afirmar sua declaração.

37

EU SOU O QUE O CRIADOR É. LOGO:

EU SOU O AMO DO CORPO, MEU MUNDO.

EU SOU A INTELIGÊNCIA QUE O GOVERNA.

Desta maneira pode-se eliminar as imperfeições que forem erroneamente criadas, e devolver de novo a ordem e perfeição desejadas.

Cada um deve sentir-se — EU SOU —, o único amo de seu mundo, a única inteligência que o governa.

38

EU SOU O QUE O CRIADOR É. LOGO:

EU SOU O PODER INVENCÍVEL QUE RECHAÇA TODO SENTIMENTO E PENSAMENTO INDIGNOS E DISCORDANTES.

Muitas vezes ao dia, o homem é bombardeado por pensamentos e sentimentos baixos, criados e lançados por outros seres. A maioria dos homens não pensa por si mesmo; executa os pensamentos alheios. Nestas circunstâncias, devemos apelar para a afirmação seguinte: EU SOU A PRESENÇA NA MENTE QUE SEMPRE CONSTRÓI COM O PENSAMENTO.

39

EU SOU O QUE O CRIADOR É. LOGO:

EU SOU O PODER ONIPOTENTE CRIADOR NOS CORAÇÕES E NAS MENTES.

EU SOU A FONTE QUE DERRAMA SEMPRE PAZ, HARMONIA E TRIUNFO EM CADA SER.

Devemos realizar visualizando o poder do — EU SOU — em todas as coisas. Devemos manter sempre sustentada, tal atividade.

Tudo o que se necessita sentir é a Plenitude da Presença Divina do — EU SOU.

Quem pratica desinteressada e impessoalmente durante cinco ou mais minutos, três vezes ao dia, em poucos meses sentirá liberdade no corpo, iluminação na mente e êxito nos assuntos.

Já não desejará fazer outra coisa que seguir adiante nesta prática, para que se cumpram nele as palavras do Cristo: "E fará mais coisas do que as que faço".

40

EU SOU O QUE O CRIADOR É. LOGO:
EU SOU A UNIDADE EM TODA DIVERSIDADE.
EU SOU O TODO EM TUDO.

Há uma só fonte de tudo o que existe e — EU SOU — é o doador da vida, amor, sabedoria, riqueza, acerto e poder. Estamos conectados, permanentemente, com esta fonte e temos o poder de pressionar para fora todo o bem que queremos para nós mesmos e para os demais. Todos temos caminho direto ao — EU SOU —, ao Pai, ao Infinito (ou como queiramos chamá-LO) dentro de nós, que é a fonte central de todos os dons; mas é necessário saber chegar a esta fonte, por meio da inspiração, aspiração e concentração, três condições que educam a mente objetiva a dirigir-se para o interior, ao invés de fazê-lo para a parte exterior.

41

EU SOU O QUE O CRIADOR É. LOGO:
EU SOU A ÚNICA INTELIGÊNCIA EM VÁRIOS GRAUS DE MANIFESTAÇÃO.

A conecção entre a Inteligência Divina e a de todo Eu individual é una. — EU SOU DEUS — dentro do homem, é inteligência; é amor; é ação que faz o sangue circular, a respiração funcionar, assim como a digestão, a assimilação e a eliminação etc. . . .

Porém, como o homem não é autômato, ao contrário, tem que formar sua própria consciência, por suas experiências, para chegar ao aperfeiçoamento consciente ou inconsciente, às vezes torce a lei e se desvia do caminho reto. Então, seus fracassos começam, e surgem suas dores que são os melhores degraus para o triunfo.

42

EU SOU O QUE O CRIADOR É. LOGO:
EU SOU A LUZ DO MUNDO. TODO SER QUE VEM A MIM NÃO ANDA NAS TREVAS.

Aquele que torna seus pensamentos da parte externa à parte interna, ao — EU SOU — aquele que trata de ver-se a si mesmo e aos demais pelo lado espiritual, tudo o que é negativo desaparecerá de seus pensamentos e entrará em vida nova.

Todos podemos e devemos dirigir a mente consciente para a Mente Universal dentro de nós, e, ao praticar as afirmações já enunciadas, podemos fazer calar e aquietar a mente turbulenta do Eu, que está triste, e permitir que — EU SOU A LUZ — ilumine e pense em nós e através de nós.

43

EU SOU O QUE O CRIADOR É. LOGO:

EU SOU A PRESENÇA POSITIVA EM TODAS AS PARTES. EU ESTOU AQUI. EU ESTOU ALI.

Devemos ser conscientes de que — EU SOU — é a ação em todas as partes: nos átomos do mundo, como também nos do corpo do indivíduo. Devemo-nos identificar com este pensamento, para não cairmos por ignorância, em pensamentos negativos ou destrutivos. Ao contrário, nosso pensamento deve unir-nos a essa corrente da força curativa de ingente poder, que emana de nós, para dirigi-la em ajuda à Humanidade. Essa corrente divina alcança a todos os indivíduos, penetra em todas as condições, ambientes, lugares e atividades. O que se torna necessário é dirigi-la conscientemente, por meio do pensamento, ao lugar de seu destino.

44

EU SOU O QUE O CRIADOR É. LOGO:

EU SOU A IRRADIAÇÃO DIVINA QUE AFASTA TODO PENSAMENTO E SER DESTRUTIVOS.

Esta afirmação impregna o lar e a pessoa com a irradiação divina e impede a entrada de influências nefastas que chegam a nós e aos nossos. Ao contrário, todos que se põem em contato conosco, serão beneficiados por nossa aura e isto os fará capazes de resolver seus próprios problemas e receber a ajuda que eles necessitam.

Ao dizer — EU SOU — conscientemente, toda barreira e condições negativas se esfumarão como por encanto. É como o fogo que tudo consome.

45

EU SOU O QUE O CRIADOR É. LOGO:

EU SOU O FOGO DIVINO QUE CONSOME TODO DESEJO, ANELO, E PAIXÃO INARMÔNICOS.

Em verdade, este fogo divino do — EU SOU — tem o poder de consumir tudo o que há no corpo de desejos ou corpo da alma de cada indivíduo, de criações indesejáveis acumuladas através dos séculos. Esta chama depurará e acrisolará todo ser que se manchou por seu contato com este plano astral impuro.

Quando chegamos à identificação com esta Chama ou Presença do — EU SOU —, a alma durante o sono pode atuar, conscientemente, fora do corpo e resolver todos os problemas difíceis.

46

EU SOU O QUE O CRIADOR É. LOGO:

EU SOU O SABER E A ILUMINAÇÃO QUE ESTÁ AQUI E ESTÁ ALI; NA VIGÍLIA E NO SONO, ESQUADRINHO O QUE NECESSITO SABER.

Quando entramos conscientemente em contato com a Presença Divina, nada nos será negado. Qualquer coisa que o — EU SOU — ordena, enquanto o corpo dorme, deve ser obedecida. A alma, enquanto o corpo dorme, faz contato consciente com o que necessita saber para resolver seus problemas.

Em verdade, no dia seguinte, ao despertar, encontra e sente que todos os problemas e dificuldades têm já sua solução fácil e simples.

47

EU SOU O QUE O CRIADOR É. LOGO:

EU SOU A ONIPOTÊNCIA PROTETORA QUE GOVERNA A MENTE DESTE SER.

Esta afirmação protege o ser querido de todo perigo. Quando se usa a fórmula — EU SOU — se produz invisível e instantaneamente a atividade imediata, porque — EU SOU — está presente em todas as partes e é TUDO em tudo.

Devemos gravar e, se possível, gravar na mente objetiva, no intelecto, que ao dizer — EU SOU — pomos em ação os atributos do Pai.

Quando temos esta consciência, a atividade instantânea toma lugar ali, e o Poder da Presença enche a mente e o corpo com a Onipotência Protetora e outorga saúde e bem-estar.

48

EU SOU O QUE O CRIADOR É. LOGO:

EU SOU O PODER QUE PROTEGE E DIRIGE ESTE BARCO, ESTE AVIÃO, ESTE VEÍCULO... ATÉ QUE CHEGUE COM SEGURANÇA EM SEU DESTINO.

Esta invocação ilumina o condutor ou condutores do veículo para tomar o caminho ou a zona de segurança. Quando sofremos acidentes é porque pomos demasiada fé e confiança em nosso intelecto ou mente objetiva.

49

EU SOU O QUE O CRIADOR É. LOGO:

EU SOU A HARMONIA E A AÇÃO PERFEITA EM CADA ÓRGÃO, CÉLULA E ÁTOMO DESTE (MEU) CORPO.

Se estamos plenos conscientemente do — EU SOU —, do PAI, então o FILHO tem a potestade do PAI.

É necessário e urgente encher nosso mundo com a Presença — EU SOU — e para isto, devemos sentir o que estamos conscientemente fazendo.

50

EU SOU O QUE O CRIADOR É. LOGO:

EU SOU A SAÚDE PERFEITA QUE IRRADIA AGORA E SEMPRE EM CADA ÓRGÃO DE MEU CORPO.

O homem sem saúde não pode chegar a nenhuma parte, nem pode realizar nada de seus ideais. Devemos ter esta confiança no Pai com quem somos UM e que nunca seremos defraudados. Devemos repetir sempre EU SOU A ATIVIDADE PERFEITA E INTELIGENTE NESTE MEU CORPO e devemos saber que estas invocações podem ser utilizadas para nosso próprio proveito, para o dos demais, o que é o mais importante; porque quem dá recebe, quem cura impessoalmente e incognitamente será são e salvo de todo mal.

51

EU SOU O QUE O CRIADOR É. LOGO:
EU SOU A INTELIGÊNCIA ATIVA NESTE MEU CÉREBRO.
EU SOU A VISTA PERFEITA ATRAVÉS DE MEUS OLHOS.
EU SOU O OUVIDO PERFEITO ATRAVÊS DE MEUS OUVIDOS.

Estes tratamentos não podem falhar se nossa determinação está usada com palavras isentas de condições limitadas; porque EU SOU O AMO DA VIDA E FAÇO O QUE QUERO E O QUE DESEJO FAZER.

Estas convicções devem passar do estado de mentalidade ao estado de sensação, isto é, da mente objetiva à mente subjetiva, e chegar a saber com certeza absoluta que assim é.

Devemos saber que o que sentimos, vibra com a verdade e faz de nossa vida exatamente o que queremos fazer.

52

EU SOU O QUE O CRIADOR É. LOGO:
EU SOU A ÚNICA PRESENÇA QUE ATUA NESTE MUNDO.

Gravemos isto profundamente na mente para utilizá-lo em qualquer dificuldade. Com esta convicção nenhuma moléstia ou entrave pode resistir. Esta convicção deve ir até à imaginação, a faculdade criadora do EU SOU CRIADOR INFINITO que age dentro de nós.

Repitamos as afirmações com maior convicção e pensemos que, antes, não o havíamos sentido; mas, agora já o sabemos, já o sentimos com todo o poder, e que somos os amos na própria vida, e começamos a viver isto.

53

EU SOU O QUE O CRIADOR É. LOGO:

EU SOU A ILUMINAÇÃO DE MINHA MENTE E DE MINHA IMAGINAÇÃO.

Quando se limpa da mente todo o supérfluo, a convicção dá um passo para a imaginação criativa que nos impulsiona a ser tudo o que somos; então já poderemos fazer o que o mundo chama de milagres.

A imaginação do homem é um raio da faculdade criadora infinita do — EU SOU — Mas, esta faculdade fará tudo o que nós queremos. E se nós não a dirigimos, ela nos fala segundo e de acordo com o que temos enchido de tradições raciais, superstições, enfermidades e fracassos.

54

EU SOU O QUE O CRIADOR É. LOGO:

EU SOU A ILUMINAÇÃO SENTIDA POR TODO EU E MENTE.

Esta afirmação dirigida dentro de uma assembléia ou reunião, elimina seus preconceitos, suas crenças, suas tradições errôneas e falsas e obriga a cada um a pensar por si mesmo e não aceitar as crenças simplesmente porque "assim nossos antecessores acreditaram sempre".

Dentro de nós mesmos existe o ponto focal. Quando nos identificamos com — EU SOU — acabarão todas as obstruções.

55

EU SOU O QUE O CRIADOR É. LOGO:

EU SOU O PODER QUE ANIQUILA TODO TEMOR, DÚVIDA E TDDA INCERTEZA DE MEU CORAÇÃO E MENTE.

Esta afirmação vai à nossa imaginação e fica gravada por nossa vontade. A imaginação não pode racionar, não é raciocinadora e não está sujeita à razão.

Mantenhamos esta afirmação e usemo-la com freqüência, e sairão do caminho próprio e alheio, todo obstáculo e obstrução.

56

EU SOU O QUE O CRIADOR É. LOGO:
EU SOU O ENTENDIMENTO E A COMPREENSÃO ENTRE TODOS OS SERES E EM TODAS AS PARTES.

Esta afirmação assegura a paz entre os homens. Se existirem dez por cento em cada nação, que repitam esta afirmação, terminariam para sempre as guerras e as rixas.

Cada aspirante, leitor destas linhas, deve converter-se em líder de seu ambiente; formar a determinação de eliminar e limpar seu mundo de toda peleja e desgosto entre todos os seres que se põem em contato com ele.

57

EU SOU O QUE O CRIADOR É. LOGO:
EU SOU A ILUMINAÇÃO DE CADA SER QUE VEM AO MUNDO.

Deixemos que a razão introduza esta convicção na imaginação, e gozemos o prazer de sermos purificadores e iluminadores da humanidade. Mas, devemos recordar sempre três condições: 1º — Não se deve ter língua (Agir silenciosamente). 2º — Praticar, se é possível, cada hora e cada minuto. 3º — Tratar de ser mais sábio e mais humilde; ser o canal da Sabedoria do — EU SOU — para aumentar nosso poder.

58

EU SOU O QUE O CRIADOR É. LOGO:
EU SOU DEUS EM CADA CÉREBRO E EM CADA CORAÇÃO QUE ANELA AMOR, JUSTIÇA, PAZ, HARMONIA E PERFEIÇÃO.

Feliz o homem que se dá conta desta suprema verdade. Ditoso o coração que pode sentir e compreender plenamente este ardor para sua realização. Então — EU SOU — manifesta através dele sua ONISCIÊNCIA, ONIPOTÊNCIA E ONIPRESENÇA, para a paz, a justiça e a perfeição no mundo, e a terra se converterá em céu.

59

EU SOU O QUE O CRIADOR É. LOGO:

EU SOU A ÚNICA PRESENÇA INTELIGENTE QUE OCUPA TODOS OS CARGOS.

É a maior verdade que deve reger a imaginação, porque — EU SOU — a inteligência única no universo inteiro e portanto EU SOU VIDA, ESPÍRITO, PODER, expressando-se em vários graus de manifestação.

A inteligência da mente, para não errar, deve ser serva do espírito, incapaz de erro. A mente como serva é boa, porém, como amo, vive sempre baseada na evidência dos sentidos e não na verdade. O intelecto argüi e marca. EU SOU A VERDADE.

Para que a inteligência do Eu não cometa erros deve repetir sempre: A MENTE INFINITA ME AMA, ME CORRIGE E APROVA TUDO O QUE FAÇO.

60

EU SOU O QUE O CRIADOR É. LOGO:

EU SOU O SENTIR DIVINO NO CORPO E NA ALMA.

Esta afirmação nos comunica com o Íntimo Deus — EU SOU —. Com esta convicção o sangue circula melhor e mais rapidamente, produzindo uma sensação de calor no corpo. Em seguida podemos sentir o fluxo da compreensão e da verdade como raios de luz em nosso ambiente, e notar-se-á que todos os que nos rodeiam nos manifestam um novo carinho.

Esta afirmação produz surpreendentes resultados no corpo, na inteligência, no lar; os negócios harmonizar-se-ão com os nossos desejos.

61

EU SOU O QUE O CRIADOR É. LOGO:

EU SOU O AMOR INFINITO QUE FLUI VIDA, ÊXITO, SAÚDE E PODER EM CADA SER.

Que nossa mente agarre esta convicção salvadora, e desaparecerão dela toda amargura, toda ânsia, toda inveja, todo engano e todo egoísmo. Se dirigimos este pensamento afirmativo a um enfermo, seu poder varre com a causa da enfermidade e o paciente sente o fluido da vida em seu organismo.

62

EU SOU O QUE O CRIADOR É. LOGO:
EU ESTOU AQUI. EU ESTOU ALI.

Esta sentença dá subitamente força e energia; outorga harmonia e valor, porque — EU SOU — como o sol, que ilumina e derrama sem medida: sabedoria, vida, saúde, poder, acerto, riqueza e tudo o que é bom; esta é a Lei de seu Ser. O que rechaça seus dons é nossa livre vontade e os pensamentos negativos, assim como, quando nos escondemos em um sótão não recebemos os raios benéficos do sol.

63

EU SOU O QUE O CRIADOR É. LOGO:
EU SOU A PRESENÇA DE TODO BEM-ESTAR DESEJADO.

O sol nos dá vida e calor, nele não há morte nem frio; do mesmo modo — EU SOU — não pode radiar senão amor, vida e bem-estar. — EU SOU — é tudo o que é positivo, não muda nunca, façamos o que façamos ou o que tenhamos feito; sempre nos envolve com seu amor e felicidade. O sol não deixa de brilhar e dar vida, se o homem se converte em egoísta e mau.

64

EU SOU O QUE O CRIADOR É. LOGO:
EU SOU A PRESENÇA INVISÍVEL EM TUDO O QUE É VISÍVEL, EU SOU A VENTURA, O GOZO E A FELICIDADE EM TUDO.

Há muitos que crêem que atormentar o corpo, privá-lo de prazeres lícitos, tornam-se mais espirituais. Ainda há muitos que interpretam, equivocadamente, as palavras de Jesus quando disse: "Se queres ser perfeito... carrega a pesada cruz e segue-me", e desta maneira acreditam que o pobre não deve gozar para obter o de que necessita e o enfermo não lute por sua saúde. O próprio Nazareno ensinou: "Vinde e recebereis, que vossa ventura seja plena". Negar-se a si mesmo e carregar com a cruz é eliminar o eu egoísta que está buscando sempre sua comodidade à custa dos demais. Deste eu, falou Jesus, e não de martirizar o corpo.

65

EU SOU O QUE O CRIADOR É. LOGO:
EU SOU A PRESENÇA, DEUS EM AÇÃO EM TODO SER.

Não nos devemos desalentar ao não receber imediatamente a resposta. A culpa está em nossa maneira de pensar e agir. EU SOU A ÁGUA DA VIDA, mas a mente do eu corporal não sabe ou não quer beber desta água da ventura e da felicidade. A afirmação contínua conduz a uma realização verdadeira e segura.

66

EU SOU O QUE O CRIADOR É. LOGO:
EU SOU A FÉ, EU SOU A ESPERANÇA, EU SOU O AMOR, EU SOU O SEMPRE DAR.

Esta afirmação ilumina a mente do eu pessoal que está sujeita ao erro, e lhe ensina como livrar-se das condições tormentosas. O temor se desvanece da mente e assim compreenderá que as coisas externas não podem fazer-nos desgraçados.

Abramos as portas da GRANDE MANSÃO INTERNA cheia de Luz Inefável e entremos ali e tomemos posse de nossa herança divina e sejamos livres.

67

EU SOU O QUE O CRIADOR É. LOGO:
EU SOU ELE, ELE É EU. EU SOU O QUE O CRIADOR É.

Cantemos com alegria e gozo por esta divina verdade continuamente em nosso coração. Sintamo-la em todo seu significado e poder, e determinemos usá-la em cada momento. Sejamos firmes em nossa determinação, e o saber, o sentir e o poder nos serão dados. O caminho de nossa liberdade e liberação eternas está aberto. Sejamos felizes e demos graças porque levantamos o véu.

68

EU SOU O QUE O CRIADOR É. LOGO:
EU SOU O CORAÇÃO DO ABSOLUTO QUE REALIZA.

Entremos em silêncio depois de dizer isto até sentir que — EU SOU — O CORAÇÃO DE DEUS, e em seguida, qualquer coisa que declaramos se manifesta neste mesmo momento.

Crer e ter fé se entrelaçam. O que anelamos na vida, como seja amor, poder, acerto, êxito, sabedoria, gozo, paz etc., é o que exatamente, o Infinito quer que tenhamos, porque esta é sua essência; mas, se não temos fé, nem cremos que EU SOU A REALIZAÇÃO, como poderá ELE atuar para e em nós contra nossa vontade e fé? Não há nada bom nem mau; o pensamento faz um e outro. Algum dia o aspirante sentirá dentro de si o poder ingente da mencionada afirmação e se maravilhará!...

69

EU SOU O QUE O CRIADOR É. LOGO:
EU SOU A PERFEIÇÃO EM CADA SER. EU SOU A HARMONIA EM TODO SER.

Quando por meio do esforço consciente, o aspirante atrai a energia do EU SOU A PERFEIÇÃO e leva consigo a faculdade inerente do PODER DO VERBO, então começa a projetar e radiá-la sobre os demais. A Perfeição do — EU SOU — não sofre nenhuma mudança, senão, cada indivíduo a veste com sua própria atividade. Todo amor é Deus. Todo Poder é Deus. Tudo o que é bom é Deus. Quando temos fome de algo é, em realidade, a fome do Infinito que se expressa em nossas vidas e através de nós, de modo que os sentidos o percebem como real para que nós realizemos a VONTADE do Pai que está em nós.

70

EU SOU O QUE O CRIADOR É. LOGO:
EU SOU A MENTE INFINITA COM FOME ETERNA DE DAR, DE SEMPRE DAR.

Temos que compenetrar e viver esta verdade. EU SOU o impulso divino que expressa eternamente e manifesta constantemente de si mesmo na visibilidade. Cada homem deve realizar sua unidade consciente com — EU SOU — negando toda aparência contrária a esta verdade.

Que sua mente não atue sobre nenhuma coisa que não tenha esta convicção.

71

EU SOU O QUE O CRIADOR É. LOGO:

EU SOU O BEM. O MAL NÃO EXISTE.

Em todo o universo não existe senão o poder positivo do EU SOU DEUS EM AÇÃO EM TODA PARTE E TEMPO. O que aparece como mal, é a carência da Luz; é a ignorância de adquirir o bem existente em toda parte; é a enfermidade na ignorância de viver segundo as leis da saúde.

72

EU SOU O QUE O CRIADOR É. LOGO:

EU SOU ONIPRESENTE EM TUDO. NÃO HÁ FALTA DE VIDA, DE SUBSTÂNCIA, DE INTELIGÊNCIA EM PARTE ALGUMA.

Esta afirmação nos libertará da sugestão de crer nas condições materiais e nos afirma no sentir de que nós somos o que temos querido ser e seremos o que queiramos ser.

73

EU SOU O QUE O CRIADOR É. LOGO:

EU SOU A PRESENÇA ONIPOTENTE EM TUDO.

Logo, não há dor; a enfermidade, a pobreza, a velhice são filhas do intelecto e podem ser eliminadas com a união consciente, com o — EU SOU.

Não existe coisa alguma no mundo que possa infundir medo ao homem, porque a Potencia dentro do homem de Fé, é superior a tudo o que é negativo.

74

EU SOU O QUE O CRIADOR É. LOGO:

EU SOU A PRESENÇA ONISCIENTE EM TUDO.

Assim sendo, todas as sabedorias estão ao nosso alcance. Seremos como o fogo vivo que consome toda a negação. Não julguemos ninguém. Afirmemos a convicção para eliminar a negação.

Se alguém nos demonstra má vontade, afirmemos: EU SOU O AMOR NESTE SER. Não devemos ter inveja de ninguém, porque somos uno com o Infinito, e como disse São Paulo: "Como pode uma parte de mim mesmo ter zelos e inveja da outra?". Afirmemos: EU SOU A ALEGRIA PELO TRIUNFO DESTE SER.

Estas afirmações são as chaves mágicas, são o gozo de Deus em nós outros; são TODO O PODER EM NOSSAS MÃOS.

75

EU SOU O QUE O CRIADOR É. LOGO:

EU SOU A PRESENÇA DO FOGO DIVINO NA ATIVIDADE SEXUAL CRIADORA.

Com todo respeito e com toda santidade devemos repetir esta afirmação cada vez que sentimos a atividade sexual divina em nós. O homem é DEUS CRIADOR pelo sexo e tudo o que deve ser criado deve ser bom.

O fogo do sexo é o fogo da santidade. A origem do sexo tem a sua raiz na mesma Divindade. O homem ao orar, invoca a Deus; porém, ao unir-se sexualmente à mulher, converte-se em Deus.

O sexo está em Deus, assim como o filho está no Pai.

O homem no ato sexual deve sentir Deus Criador Onipotente. Mas, existe sexualidade carnal e sexualidade espiritual: a carnal é o nascimento e morte; a espiritual é a ressurreição eterna.

Mas, cada vez que se apresente uma idéia errônea do sexo ou no sexo, devemos repetir, com santidade, a afirmação precedente.

76

EU SOU O QUE O CRIADOR É. LOGO:

EU SOU O FOGO DEVORADOR NO SEXO QUE CONSOME TODA IMPUREZA DA MENTE.

O verdadeiro casto é o que leva sua virilidade até a Divindade, porque a verdadeira castidade deve estar na pureza e santidade do sexo.

O prazer sexual é incompleto quando se distancia da pureza sexual; ambos são necessários para a união.

Sentir o impulso sexual é sentir a Divindade em si, que tende a criar primeiro no invisível, para depois manifestar-se no visível. Se a origem é limpa e santa, o visível será limpo, puro e santo.

77

EU SOU O QUE O CRIADOR É. LOGO:

EU SOU A LUZ INEFÁVEL NO SEXO, QUE ILUMINA TODO CORAÇÃO E TODO CÉREBRO.

A sexualidade espiritual tem por objetivo achar o elixir da vida e a pedra filosofal que transmuta os metais para a realização perfeita de toda obra.

Antes de empreender uma obra transcendental, deve-se acercar-se com toda pureza à esposa espiritual, de modo a permitir que a luz atravesse os dois.

O fogo criador de JEOVÁ na Sarça arderá, e então, no sistema nervoso sem consumi-la, se converterá na Luz Inefável que ilumina o coração e o cérebro.

78

EU SOU O QUE O CRIADOR É. LOGO:

EU SOU O AMOR QUE ELIMINA TODO MEDO E TODO TEMOR.

Muitos seres têm medo da pobreza e do que os demais podem dizer, e assim, o mesmo medo os converte em pusilânimes, avaros e invejosos.

Esta afirmação varre todas as escórias mentais, porque o AMOR nada teme; ao contrário, liberta-nos das cadeias do medo, origem de todo o mal. Quando reconhecemos e afirmamos o AMOR DIVINO, como um rio, ELE se desemboca em nosso Centro, e de dentro de nós um Poder Formidável inunda o mundo e seus habitantes, de paz, felicidade e bem-estar, e assim, nos convertemos em canais do EU SOU.

79

EU SOU O QUE O CRIADOR É. LOGO:

EU SOU O PODER QUE GOVERNA HARMONIOSAMENTE O CORPO, O CORAÇÃO E A MENTE, CONTROLANDO O MUNDO, A VIDA E OS SERES.

Do Infinito Imutável, procede tudo o que existe. É ELE O — EU SOU — impessoal e que se expressando em cada um de nós, chega-se a ser Pai-Mãe de amor, saber e poder. Tudo o de que necessitamos ou desejamos, existe no grande depósito de tudo o que é bom, todavia, à espera de uma oportunidade para ser expressado.

80

EU SOU O QUE O CRIADOR É. LOGO:

EU SOU A FONTE DO AMOR DIVINO QUE ATUA.

Esta fonte de amor do qual procedemos não tem limite em sua vontade de expressar e atuar em nós, e através de nós, se estamos preparados e desejosos de expressar o que é positivo, ou seja, a sua divina vontade.

Temos que retornar permanentemente, em nossos corações, ao mundo Interno, mundo do PAI-MÃE, para satisfazermo-nos na reminiscência do passado que não é outra coisa que o desejo do — EU SOU — A EXPRESSÃO CONSCIENTE EM CADA HOMEM.

81

EU SOU O QUE O CRIADOR É. LOGO:

EU SOU A FONTE DO AMOR, DO SABER E DO PODER QUE ATUA NESTE (MEU) TEMPLO CORPO

Tudo o que existe procede de uma única Fonte. Todos os dons positivos de amor, saber, poder etc. nos vêm dessa Fonte. Estamos ligados inconscientemente com ELA, porém, nossa ignorância obstrui o fluir de seus dons. Cada um de nós deve expressar, para fora, sobre os demais, todo o bem que quer receber dessa Fonte. Desta maneira, converte-se o homem, em — EU SOU — A FONTE DO AMOR QUE ATUA EM TODO TEMPLO CORPO.

82

EU SOU O QUE O CRIADOR É. LOGO:
EU SOU O REINO DENTRO DE CADA SER POBRE DE ESPÍRITO.

O Pobre de espírito não é um tonto, senão aquele que afirma com Paulo: "As tonterias de Deus são as sabedorias dos homens". Então seu espírito sente a fome dos pobres que é o impulso divino interno para encher-se de saber e saciar-se do amor que são como o pão da vida.

83

EU SOU O QUE O CRIADOR É. LOGO:
EU SOU A MANSIDÃO EM CADA SER.

O manso, o ser suave, o ser grato, domina o mundo; possuirá o espírito da terra quem põe a seu serviço, todos os elementos para atender suas necessidades.

84

EU SOU O QUE O CRIADOR É. LOGO:
EU SOU O CONSOLO DOS QUE CHORAM.

Não dos que choram pela perda de uma ilusão mental ou pelo fracasso de negócios, e sim por aqueles que choram pela injustiça, pela mentira, pela fraude, pela ignorância da humanidade que não quer compreender que é uma só família, todos filhos de um só Pai.

85

EU SOU O QUE O CRIADOR É. LOGO:
EU SOU O ALIMENTO CELESTIAL DAQUELES QUE TÊM FOME E SEDE DE JUSTIÇA.

Pois, nossos desejos são a medida de nossa capacidade. Quem aspira a justiça, receberá esse alimento celestial para administrá-la e obrigar a outros que a administrem.

Devemos repetir todas estas afirmações em todos os casos necessários. Se desejamos que um juiz dê justa sentença, enviemos-lhe esta afirmação do Sermão da Montanha, e o resultado não demorará a manifestar-se.

86

EU SOU O QUE O CRIADOR É. LOGO:
EU SOU A MISERICÓRDIA EM TODO CORAÇÃO.

Esta afirmação nos torna misericordiosos, tolerantes e pacíficos com os nossos semelhantes e em todas as circunstâncias e assim seremos como o Infinito, Onipotentes, bons e não daremos mais abrigo ao mal, ao fracasso e à pobreza.

87

EU SOU O QUE O CRIADOR É. LOGO:
EU SOU, EU ESTOU NO CARAÇÃO PURO E LIMPO.

O coração puro vê a Deus, isto é, sente que o — EU SOU — por ele se manifesta e exprime para a humanidade seus atributos e dons e nos pode dar o que soubermos e pudermos desejar: "Porque nenhum olho humano viu, nenhum ouvido ouviu e nenhum homem ainda pôde compreender as coisas que o Pai já tem preparadas, para aqueles que descubram e sigam Suas Leis".

88

EU SOU O QUE O CRIADOR É. LOGO:
EU SOU A PAZ NO CORAÇÃO DOS PACIFICADORES.

Afirmar uma coisa é asseverar positivamente que essa coisa é assim. "Afirmarás uma coisa e ela te sucederá."

Se todo o mundo, ou mesmo a décima parte da humanidade afirmasse a Paz, todos os demais se converteriam em pacíficos e não mais haveria guerras.

Nunca devemos falar de guerras, nem de sua proximidade, melhor, devemos negá-las e afirmar a paz nos corações.

89

EU SOU O QUE O CRIADOR É. LOGO:

EU SOU O REINO, O REFÚGIO DE TODO PERSEGUIDO QUE NÃO QUER RESISTIR AO MAL.

Resistir ao mal com outro mal é criar dois males ao mesmo tempo. Aquele que resiste ao mal com o bem, será perseguido, mas por último, triunfará.

90

EU SOU O QUE O CRIADOR É. LOGO:

EU SOU A LUZ DO MUNDO.

Esta luz brilha no homem e à vista dos homens como uma tocha para guiar a todos que caminham nas trevas do medo e da ignorância. EU SOU A LUZ que transcende toda ignorância e todo o erro com a ação sustentada por si mesma e para sempre.

91

EU SOU O QUE O CRIADOR É. LOGO:

EU SOU O AMOR, O PERDÃO E A INDULGÊNCIA NO SER.

Afirmar amor é não ferir o próximo; afirmar o perdão é não levar em conta o mal que ignorantemente nos fizer; afirmar a indulgência é dar-lhe poder, para que se corrija.

92

EU SOU O QUE O CRIADOR É. LOGO:

EU SOU O AMOR PURO NO HOMEM E NA MULHER.

Esta afirmação elimina da mente do casal a idéia do desejo animal e os aproxima do amor divino; e com isto, o homem vê a presença de Deus nas entranhas da mulher e a mulher O vê na espinha dorsal do homem.

93

EU SOU O QUE O CRIADOR É. LOGO:
EU SOU A VERACIDADE DA PALAVRA.

Esta afirmação faz com que a língua seja capaz de criar, mediante a palavra, porque Falar é Criar.

Quem afirmar e praticar durante um ano a veracidade no falar, descobrirá a palavra perdida.

Bastará dizer ao enfermo: "Sara", e ficará são; ao vicioso: "Sê Perfeito", e ficará perfeito, porque seus lábios estarão purificados pelo fogo da verdade e sua palavra se converterá em Lei.

94

EU SOU O QUE O CRIADOR É. LOGO:
EU SOU A LIBERAÇÃO QUE TRIUNFA EM TODAS AS CIRCUNSTÂNCIAS.

O homem vive empolgado com o mel de seus dias, ou amargurado com o fel de suas noites. Esta afirmação lhe dá a liberação e o triunfo sobre si mesmo. Liberação da vida e triunfo sobre a morte; liberação da inocência e triunfo pelo saber: liberação do prazer e triunfo sobre a dor.

95

EU SOU O QUE O CRIADOR É. LOGO:
EU SOU A FÉ E A CERTEZA QUE MATA TODA DÚVIDA.

A miúde, dizem alguns: "Eu mantive esta idéia por muito tempo e ela não se manifestou". Pois, esta é uma prova de que existia uma dúvida em alguma parte da consciência. Devemos agir com firmeza, sem desalento e tudo nos será dado.

96

EU SOU O QUE O CRIADOR É. LOGO:
EU SO A FÉ, EU SOU A FÉ QUE OBRA MILAGRES.

"Porque em verdade vos digo: quem disser a esta montanha, move-te daqui e arroja-te no mar, e não duvidar em seu coração, e sim crer que as afirmações que faz, se convertem em realidade, terá tudo quanto afirmar." (Marcos XI,23).

97

EU SOU O QUE O CRIADOR É. LOGO:
EU SOU A FÉ QUE CONVERTE A SUBSTÂNCIA EM REALIDADE.

"A fé é a substância das coisas que desejamos, a evidência das coisas que não se vêem, disse São Paulo." Isto quer dizer que "a fé agarra a substância das coisas que desejamos" continua: "As coisas materializadas não foram feitas das coisas visíveis e sim procederam do invisível. Portanto, de algum modo, tudo o que desejamos está, em princípio, na substância invisível que nos rodeia, e a fé é o poder que tem a capacidade de converter os desejos em realidade."

Temos que gravar isto na mente e repeti-lo milhares de vezes, sentindo no íntimo, esta verdade.

98

EU SOU O QUE O CRIADOR É. LOGO:
EU SOU A FÉ CUJO PODER TUDO PODE.

"Um poder que subjuga impérios, que fecha as bocas dos leões, que apaga o fogo, que derrota exércitos, que levanta os mortos de suas tumbas e os devolve à vida."

E, se nossos desejos superam a tudo isto, não devemos duvidar se queremos que as nossas petições se convertam em realidade. O mais excelso dos seres disse: "Àquele que crer, todas as coisas serão possíveis".

99

EU SOU O QUE O CRIADOR É. LOGO:
EU SOU A FÉ QUE MOVE O INFINITO.

O Infinito, com prazer, nos dá de acordo com a nossa Fé. Devemos conquistar a Fé se não a temos.

"Sem fé, é impossível comprazer a Deus", se tem dito; isto é simbólico, e significa que sem fé não se pode ter nenhum dos dons do Infinito. Quem duvida, impede que seu pedido chegue à fonte do Doador de tudo o que é bom.

100

EU SOU O QUE O CRIADOR É. LOGO:
EU SOU A FÉ, PROVISÃO DE TODO PODER E DE TODO PEDIDO.

Esta verdade está baseada sobre leis imutáveis, como por exemplo: a soma de três ângulos de um triângulo é igual a dois ângulos retos. Que saibamos ou não, nada altera o fato em si. Na proporção que soubermos que na Fé se encontra todo o poder e que esta verdade eterna nos beneficia, o que se pedir receber-se-á.

101

EU SOU O QUE O CRIADOR É. LOGO:
EU SOU O DESEJO, PROMESSA SEGURA NO CORAÇÃO. EU SOU A FÉ DE "O QUE PEDE RECEBE".
EU SOU O AMOR QUE "ANTES QUE ME CHAMEM, RESPONDO".

"Ao se desejar uma coisa, é a coisa mesma que se começa", disse Evans. O que vale dizer que a coisa desejada começa sua manifestação desde o coração do Infinito até nós outros; e é a sua aproximação que produz em nós uma impressão que chamamos de DESEJO. Pedir é expressar um desejo, e quando pedimos com fé, obtemos um recurso especial que impulsiona até nós outros o que desejamos. O Nazareno, reconhecendo esta lei, disse: "PEDI E VOS SERÁ DADO. BATEI E VOS SERÁ ABERTO." Porque sabia que "EU SOU, DEUS" a Substância de todas as coisas positivas e boas.

102

EU SOU O QUE O CRIADOR É. LOGO:
EU SOU A SUBSTÂNCIA DE TODAS AS COISAS. EU SOU A REALIZAÇÃO E ESTOU EM TODOS OS DESEJOS.

Conhecendo a lei de previsão abundante, e que provisão sempre precede ao pedido, então já se pode ter a fé e a certeza de que todo desejo bom e construtivo, é, em verdade, um desejo de Deus que em nós tende a expressar-se.

Nenhum homem pode privar a outro de algo para ter mais. O que é nosso, nos está esperando. O homem que conhece esta lei está seguro de que seu bem-estar é desejado e outorgado pelo Amor Infinito.

103

EU SOU O QUE O CRIADOR É. LOGO:

EU SOU NESTE SER (NELE, EM TI) O GUIA DE SUAS AÇÕES E PASSOS PARA CUMPRIR MINHA VONTADE POSITIVA.

Esta é a única forma pela qual devemos empregar ou enviar o pensamento para o nosso próximo, pois, assim sua personalidade positiva se desperta para que o Íntimo expresse por intermédio dele, a Sua vontade.

104

EU SOU O QUE O CRIADOR É. LOGO:

EU SOU A LUZ, EU SOU A VERDADE, EU SOU A PAZ, EU SOU O AMOR.

Muitas vezes ao se começar estas práticas, o inimigo secreto, por meio do intelecto, produz fermento mental, agitação, nervosismo no fundo da alma. Antigas dúvidas se recrudescem e se apresentam ante a mente, os fantasmas das enfermidades, da pobreza e do fracasso, e se sente à beira de uma desesperação geral.

Não tenhamos medo. Pois, isto significa que os velhos erros e vícios existentes em nós há muitos anos, lutam contra a luz da verdade e do amor que os removem para eliminá-los. O velho em nós tem medo, mas, não nos deixemos atemorizar; é o princípio da batalha na qual devemos triunfar e nossa poderosa e invencível arma é repetir conscientemente até obter a paz, a convicção de que EU SOU A LUZ, EU SOU A VERDADE, EU SOU A PAZ, EU SOU O AMOR.

105

EU SOU O QUE O CRIADOR É. LOGO:
EU SOU O VIGOR. EU SOU A DITA, EU SOU O BEM-ESTAR.

Jesus nos ensinou uma das verdades divinas quando nos disse: "Vinde a mim todos os que estão cansados e sofridos e eu os aliviarei."

Todo ser sofrido e cansado em sua personalidade ou Eu externo, deve acudir ao chamado do "EU SOU O VIGOR etc.".

E, ao dizermos que EU SOU SABEDORIA, ACERTO, PODER, AMOR, TRIUNFO, INTELIGÊNCIA, HARMONIA E PAZ, mais nos identificamos com ELE, mais o expressaremos, e dELE nosso ser fica cheio e saturado.

106

EU SOU O QUE O CRIADOR É. LOGO:
EU SOU O INFINITO EXPRESSADO EM VISIBILIDADE.
EU SOU DEUS EM FORMA CORPÓREA.

Esta convicção elimina o medo de nossa mente ao enfrentarmo-nos com os contratempos, com os fracassos, com os homens tiranos, soberbos e despóticos. Repetir esta afirmação, sem negar aos demais este mesmo direito, faz curvar os soberbos, como a haste de trigo em um campo açoitado pelo vento.

Identificado, conscientemente, o Eu com o — EU SOU —, afirmamos nossa divindade que não pode ter medo de nada, nem de ninguém.

Toda pessoa tímida deve cultivar o hábito de fazer esta afirmação, para dominar sua timidez e sentir-se possuída do Poder Infinito.

107

EU SOU O QUE O CRIADOR É. LOGO:
EU SOU DEUS EM EXPRESSÃO NO SER.

Deus necessita de um órgão, de um corpo para expressar Sua alma, Seu poder e Seu amor. Desde que Deus necessita de nós outros para manifestar-se de maneira especial, de modo algum podemos sentir-nos pequenos, apoucados e miseráveis. Nós somos a expressão de Deus, por mais humildes e desconhecidos que sejamos na terra. Somos nós, nem mais nem menos, do que uma necessidade para Deus em seu esforço de expressar-se na visibilidade, do mesmo modo que O é o maior e o mais importante da Terra.

108

EU SOU O QUE O CRIADOR É. LOGO:

EU SOU O CENTRO DA INFINITA CIRCUNFERÊNCIA. ESSE CENTRO SOU EU.

Que cada qual dirija a si mesmo estas perguntas e as responda: Falta algo no Universo? Não, está completo.

Faltando Eu pode estar completo? Não, seria incompleto. Então Eu o completo? Certamente que sim; — Portanto, sem mim não pode estar completo? Não. Em tal caso pode revelar esta verdade que:

EU SOU O CENTRO DA INFINITA CIRCUNFERÊNCIA.

109

EU SOU O QUE O CRIADOR É. LOGO:

EU SOU AMOR, E TUDO O QUE É AMOR É A VIDA MESMA.

Tudo é uma só substância do qual tudo foi criado e pela qual toda vida se sustém. Tudo tem vida e não há ponto algum onde não exista a vida. Toda coisa tem forma corpórea, através da qual o Espírito e a Vida têm que se expressar. Algumas formas são visíveis e outras invisíveis, mas, todas são corpóreas.

110

EU SOU O QUE O CRIADOR É. LOGO:

EU SOU A MENTE UNIVERSAL ONIPRESENTE.

A substância mental está em todo lugar. Podemos considerá-la como se fora a parte mais elevada da energia, assim como a matéria é face mais grosseira da energia ou substância mental. Da mente emanou a energia e da energia, a matéria.

As diferenças são:

1) Matéria... É o que usamos para vestir-nos.
2) Energia... É o que usamos para acionar e obrar.
3) Mente ... É o que usamos para pensar.
4) Toda mente está em contato com toda outra mente e com a Mente Universal, da qual todas as mentes são partes.
5) O Universo é uma substância pensante.
6) O pensamento pode variar como varia a forma corpórea, desde o átomo até o sol.
7) A forma de pensamento mais perfeita de que temos conhecimento é a do homem.

Logo:
HOJE SOMOS O QUE TEMOS PENSADO SEMPRE.

111

EU SOU O QUE O CRIADOR É. LOGO:
EU SOU O PENSADOR: PAI E MESTRE DE TODO CORAÇÃO, DE TODA MENTE E DE TODO SER.
EU SOU O ÍNTIMO QUE REVELA TODA VERDADE.

Por falta de fé temos pensado erroneamente sem vislumbrar a luz da verdade existente nestas palavras: HOJE SOMOS O QUE TEMOS PENSADO SEMPRE. De hoje em diante, devemos pensar conscientemente — EU SOU — o Espírito de sabedoria que está dirigindo todos os nossos passos, atos respiratórios, pensamentos e tudo o que fazemos para estabelecer nossa felicidade e perfeição. Podemos aceitar todas as ciências mundanas e até aceitar Deus, o Doador da Vida, do Amor, saúde etc..., mas, se estas coisas não forem sentidas, estes conhecimentos não trarão nenhum proveito. Esta Revelação deve ser no sentir interno para a realização.

112

EU SOU O QUE O CRIADOR É. LOGO:
EU SOU A FONTE DE TODA A VIDA.

Todos os ensinamentos de Jesus giram em torno da compreensão de que o homem é uno com o — EU SOU — Infinito.

Para assinalar o caminho dessa verdade teve que começar com o homem externo e ensiná-lo a amar seus inimigos, a fazer o bem etc...; porém, seu objetivo central foi e é guiá-lo ao lugar do desejo, da aspiração e da concentração, onde se encontram a fonte da vida e da sabedoria.

113

EU SOU O QUE O CRIADOR É. LOGO:
EU SOU O CONSOLADOR DO REINO INTERNO.

O que prometeu Jesus aos seus discípulos, foi enviar-lhes, às suas vidas e aos seus corações, o Consolador, reenchendo-os de poder para dominar as enfermidades e a morte. Este poder do Consolador prometido é que nos ensinará muita coisa, bem como encontrar e executar a União Sentida com o — EU SOU — no ilimitado reino da Sabedoria.

E, Jesus já nos disse: "Maiores obras do que Eu fiz, fareis vós".

114

EU SOU O QUE O CRIADOR É. LOGO:
EU SOU O SANTO QUE MORA NESTE TEMPLO.

Somos a morada do Poder, do Saber, da Bondade e da Riqueza infinita. Não sabeis por ventura que o vosso corpo é o templo do Espírito Santo que mora em vós outros?

115

EU SOU O QUE O CRIADOR É. LOGO:
EU SOU DEUS IRREVELÁVEL EM TODO CORPO-TEMPLO.

Ninguém pode revelar o — EU SOU — a outra pessoa; os iniciados neste mistério podem ensinar aos demais como buscar o caminho e encontrar a Onipotência dentro de cada ser.

"Como o vento que sopra, ouvimos o seu sibilo, porém, não sabemos dizer de onde vem e para onde vai."

Assim é tudo o que nasce do Espírito. É um processo em silêncio e invisível.

116

EU SOU O QUE O CRIADOR É. LOGO:
EU SOU A COMPREENSÃO EM CADA SER.

A compreensão espiritual é a realização da Presença do Íntimo em nós mesmos. É um dom que vem a cada um dos que aprendem como buscá-Lo. Vem ao humilde, ao sensível e a todos que hajam deixado a soberba. Vem como a luz desde o interior e o homem se sente todo modificado. Já não busca a admiração dos demais e mora na hora serena e na hora eterna do — EU SOU.

117

EU SOU O QUE O CRIADOR É. LOGO:

EU SOU O PAI QUE ESTÁ NOS CÉUS DO ESPÍRITO, FONTE DE TODO DOM.

Ao nosso Pai que está nos céus do nosso espírito, podemos pedir com coração e sem a menor dúvida, e tudo podemos conseguir. "Pedi o Reino de Deus e seu justo uso." Pedi a compreensão, o acerto e o poder que são os dons e atributos do Reino dos céus; usai-os com justiça e acerto, para o bem do mundo. "E o restante vos será dado por acréscimo." O bem Infinito e ilimitado flui por nosso intermédio se nos convertemos em bons canais.

Cada um de nós outros devemos pedir ao Pai, como pediu Salomão: "Dá a teu servo um coração que compreenda". E como estas palavras deleitaram ao — EU SOU — e a sua Lei, este, proclamou sua vontade, a voz interna se deixou ouvir: "PORQUE tendo pedido tudo isto, e não tendo pedido muitos anos de vida nem riquezas para ti... Eis que a ti será dado um coração compreensivo como a ninguém foi dado... e nenhum será como tu. E, também te será dado aquilo que não pediste: riquezas e honrarias, de tal modo que não haverá entre os reis de teus dias, nenhum como tu."

118

EU SOU O QUE O CRIADOR É. LOGO:
EU SOU O REINO DO SABER, DA VIDA E DO PODER.

Busquemos, primeiro, o Reino que é COMPREENSÃO E CONS-

CIÊNCIA do — EU SOU — e seu perfeito uso, e as demais coisas virão por acréscimo. "Porque, quem quer salvar sua vida pedindo cuidados e comodidades exageradas, a perderá, e quem quer perder sua vida por mim, (por amor da verdade, amor aos demais, buscando no fundo de seu Espírito Infinito), a encontrará ali."

119

EU SOU O QUE O CRIADOR É. LOGO:
EU SOU A LIBERDADE E A LIBERAÇÃO DE TODO SER.

Nossa liberação de todas as enfermidades, de todas as dolências, pesares e erros consiste em nos tornarmos um SOL CENTRAL, que vem de dentro de nós, como liberdade; faz emanar do nosso íntimo fulgurações de LUZ. E Jesus nos ensinou o caminho: amar em vez de odiar; perdoar em vez de vingar; dar-se sempre pelo bem dos demais. Nisto consiste a verdadeira liberação. Com estes ensinamentos, o Verbo pode-se fazer carne, e de dentro de nós desaparecerão as trevas ante à luz que nos invade e seremos conscientes de uma vida nova plena de compreensão, amor, saber e poder.

120

EU SOU O QUE O CRIADOR É. LOGO:
EU SOU UNO COM O PAI. O PAI EM MIM FAZ TODAS AS COISAS.

Esta afirmação nos torna mansos, sensíveis e PODEROSOS, porque o poder está na doçura. Os elogios, a admiração dos demais e os vitupérios já não nos afetam porque sabemos que o — EU SOU — é quem obra em nós e que a personalidade nada mais é do que o canal da Divindade.

121

EU SOU O QUE O CRIADOR É. LOGO:
EU SOU O PÃO QUE DESCEU DO CÉU.

As almas sedentas e famintas não encontram satisfação nas riquezas, posições materiais e glórias mundanas, ao contrário, neste estado, sentem cada dia mais fome de verdade e sede de justça.

O pão descido do céu é amor e serviço: "O maior entre vós será o vosso servidor". Eis aqui a base da república, da democracia e da liberdade.

A Compreensão nos vem mais rapidamente e em proporção à luz que recebemos e que passamos para o bem dos demais.

122

EU SOU O QUE O CRIADOR É. LOGO:

EU SOU A ÁGUA DA VIDA, QUEM BEBE DESTA ÁGUA JAMAIS TERÁ SEDE.

Corremos de um estado a outro, de uma coisa a outra em busca de descanso e de tranqüilidade, e quando conseguimos algo o encontramos vazio e insatisfatório. A sede do coração não se apaga a não ser com a consciência clara e vivificante do "EU SOU A PRESENÇA CONSCIENTE".

Temos que chegar ao lugar secreto de onde mana a fonte da água viva para saciar a sede. EU SOU A ÁGUA VIVA.

123

EU SOU O QUE O CRIADOR É. LOGO:

EU SOU O CRISTO NO CORAÇÃO QUE REDIME A TODO SER.

Com esta afirmação consciente, nasce em nosso coração AQUELE que nos fala com voz silente, por meio da parte intuitiva de nosso ser, e nos abre os olhos para ver a luz que só sairá do silêncio profundo, quando soubermos fazer calar o eu corporal. É a compreensão do CRISTO EM NÓS ou EMANUEL. É a evdência de que — EU SOU — está-se expressando em nós em forma de vida, saúde abundante, bem-estar, serenidade, liberdade, prosperidade e poder para o exterior.

124

EU SOU O QUE O CRIADOR É. LOGO:

EU SOU A PLENITUDE: PEDI E SE VOS DARÁ; BUSCAI E ACHAREIS; BATEI E SE VOS ABRIRÁ.

Esta promessa que a todos nos torna poderosos, é a chave de todos os mistérios. O que hoje pedimos é a consciência de poder expressar EU SOU DEUS ONIPOTENTE, ONISCIENTE E ONIPRESENTE que estabelece, sustenta e mantém controle sobre a mente, corpo, assuntos e mundos. EU ESTOU AQUI. EU ESTOU ALI. O que devemos tocar é a porta que conduz ao íntimo que está esperando nossa volta a Ele para cumularmo-nos de seus dons. E o que devemos buscar é o Reino de Deus que consiste em amor, compreensão e consciência perfeita de sua existência em nós e em todo ser.

125

EU SOU O QUE O CRIADOR É. LOGO:
EU SOU A PRESENÇA DA MENTE UNIVERSAL NA MENTE INDIVIDUAL.
EU SOU A PLENITUDE DO AMOR QUE ATUA.

Devemos estar sempre em guarda para não sermos arrastados por pensamentos, palavras e obras discordantes, porque, tudo o que pensamos e expressamos, emana de uma fonte que é a Mente Universal, que é a Mente do Cristo com toda bondade, beleza, saúde, cooperação e poder que representa tudo isto. Por tal motivo, nossa mente deve ser um conduto perfeito destes dons.

126

EU SOU O QUE O CRIADOR É. LOGO:
EU SOU O INCITADOR DE VOSSOS DESEJOS CONSTRUTIVOS. EU SOU A SEIVA DE VOSSOS FRUTOS.

Nossos desejos construtivos são os desejos do íntimo em busca de expressão por meio de nós. "Nenhum homem vem a mim, a menos que seja pelo Pai." O Pai deseja revelar-nos sua unidade conosco e o segredo de sua Presença em nós; de outra maneira não haveríamos sentido o permanente descontentamento e a fome da Verdade.

127

EU SOU O QUE O CRIADOR É. LOGO:
EU SOU O AMOR E A ATIVIDADE INTELIGENTE EM TODO PENSAMENTO E OBRA NESTE DIA.

Devemos empregar esta afirmação ao nos despertar do sono, como atividade preparatória para o começo de nosso trabalho de cada dia. Sejamos firmes e alegres em nossa afirmação e declaração.

128

EU SOU O QUE O CRIADOR É. LOGO:
EU SOU A ORDEM, A PAZ E A HARMONIA EM TODAS AS ATIVIDADES.

Cada vez que pensamos em nossas atividades ou quando recordamos nosso trabalho, devemos emitir esta afirmação para abrir nosso entendimento ao fluxo divino que transforma nosso mundo externo em mundo de paz, ordem e harmonia.

129

EU SOU O QUE O CRIADOR É. LOGO:
EU SOU A PRESENÇA DE DEUS VIVENTE QUE SE EXPRESSA EM CADA HOMEM.

Não importa qual seja nossa condição, posição social, política ou religiosa, ou se vivemos em palácios ou em uma choça infeliz — EU SOU — é a expressão em nosso corpo que é "O TEMPLO", e nossa fome não é senão a Energia que nos impulsiona para sua manifestação no mundo visível. Devemos deixá-la expressar-se e não impedi-la com nossos atos desarmônicos e errôneos.

130

EU SOU O QUE O CRIADOR É. LOGO:
EU SOU A FONTE DO AMOR. VINDE A MIM.

Quando necessitamos algo, devemos ir ao "DEUS ÍNTIMO — EU SOU" —, porque somos parte dELE. Cada um deve esperar a realização da Verdade e da VONTADE DO ÍNTIMO DEUS Esta atitude, conscientemente mantida, levará o homem à atividade perfeita, "ao Dom do Poder que vem e que vem do Alto" devido à descida do Espírito Santo que mora em nosso ser e que manifesta a iluminação e o poder de dentro para fora através do fundo de nossa mente consciente.

131

EU SOU O QUE O CRIADOR É. LOGO:

EU SOU A AÇÃO NO SILÊNCIO. EU SOU A VONTADE DIVINA QUE ATUA NO INVISÍVEL.

Depois de cada afirmação devemos estar e ficar quietos por uns momentos, isto é: "Esperar no Senhor", como fazia aquela criança, que depois de rezar, ficava quieta por alguns minutos, perguntando mentalmente: "Meu Deus, tens alguma mensagem a dar-me?".

132

EU SOU O QUE O CRIADOR É. LOGO:

EU SOU A ALEGRIA, A FELICIDADE EM TI E EM CADA SER.

Muitas pessoas tratam, ao orar, de ter fisionomias sérias, tesas e solenes. Estes seres nunca podem sentir que EU SOU FELICIDADE dentro deles, porque quando entram em silêncio buscam a um Deus muito distante deles. A alegria é a melhor oração, e a melhor oração é filha da felicidade; é a afirmação EU SOU A FELICIDADE EM MEU CORAÇÃO E EM CADA SER.

133

EU SOU O QUE O CRIADOR É. LOGO:

EU SOU A PRESENÇA DIVINA EM MEU CORPO. EU SOU O SOL DO AMOR E DA VERDADE.

Devemos manter a mente quieta, silenciosa ante esta verdade, para recebermos a resposta do — EU SOU — por meio da voz silente e dizer como Jacó em seu sonho admirável: — EU SOU — ESTÁ AQUI (Dentro de mim) E NÃO O SABIA; SOLO SAGRADO É ESTE.

Neste estado de silêncio e quietude devemos formular nossos pedidos, e então ouviremos: FAÇA-SE EM TI DE ACORDO COM TUA FÉ.

134

EU SOU O QUE O CRIADOR É. LOGO:
EU SOU A REALIZAÇÃO ETERNA DO QUE O MUNDO DESEJA E NECESSITA.

Meditemos nesta divina verdade: — EU SOU — está sempre em ação, realizando; não pode haver falha na realização, a menos que a mente objetiva e externa obstrua o caminho. Devemos ter cuidado ao usar — EU SOU — na expressão negativa, como "eu estou débil", "eu sou inútil" ou outras negações análogas.

135

EU SOU O QUE O CRIADOR É. LOGO:
EU SOU A PRESENÇA DA COISA DESEJADA.

Com esta afirmação deve-se pensar: "Estou recebendo agora o que desejo". Simplesmente, deve-se ficar quieto e sentir que a coisa desejada flui neste momento, no próprio mundo.

136

EU SOU O QUE O CRIADOR É. LOGO:
EU SOU A PRESENÇA QUE RESPONDE A TODA PETIÇÃO.

Para que o resultado seja mais rápido e mais seguro, deve-se agradecer como já se houvesse recebido, assim como fazia Jesus: "Agradeço-te Pai, que me tens ouvido, e eu sei que me ouves sempre". O ato do agradecimento clarifica a atmosfera da fé e da confiança, com as quais todas as coisas são possíveis. Não se deve duvidar ao não se receber no ato; deve-se seguir, pedindo e agradecendo até começar-se a receber. — EU SOU — não pode deixar de dar os dons positivos. JÁ O ENTENDEM OS ASPIRANTES? Pois repetimos: — EU SOU — NÃO PODE DEIXAR DE DAR OS DONS POSITIVOS. ELE Disse: "Pedi e se vos dará" ELE não pode mentir.

Deve-se pedir e agradecer e as coisas virão infalivelmente. Peçamos com perseverança e agradeçamos, e por Sua promessa, ELE está obrigado a satisfazer nossas necessidades e desejos que estão inspirados por ELE.

137

EU SOU O QUE O CRIADOR É. LOGO:

EU SOU O VERBO FEITO CARNE EM TI. EU SOU A PALAVRA QUE SE CONVERTE EM REALIDADE NO MUNDO.

Para que se cumpra em nós o efeito desta afirmação, devemos esperar e entregar-nos à vontade de: EU SOU DEUS EM AÇÃO DENTRO DE NÓS, o que significa morar conscientemente NELE, e que nossa mente esteja alerta à voz silente DELE, e a intuição deve continuar visualizando o desejo, até convertê-lo em realidade.

Deve-se comungar com — EU SOU — para ter êxito em todas as nossas empresas positivas, para em seguida dar e dar sempre aos demais aquilo que temos recebido de saúde, alegria e inspiração divina.

Esta vida nova flui com mais rapidez quanto mais damos. — EU SOU — TRABALHA EM NÓS, porém, devemos alcançar nossa liberação de tudo o que seja negativo.

138

EU SOU O QUE O CRIADOR É. LOGO:

EU SOU A ESPERANÇA EM TODO SER E DE TODO SER.

Todo homem deve desejar, esperar e abandonar a carga tranqüilamente na DIVINA PRESENÇA DO EU SOU; mas a esperança e o entregar-se, não significa abandonar-se à preguiça e ao ócio, senão que se deve trabalhar com aquela certeza alegre da realização de seu ideal.

139

EU SOU O QUE O CRIADOR É. LOGO:

EU SOU A CURA DE TODOS OS ENFERMOS.

Quando vemos um enfermo devemos usar esta afirmação, e o efeito é surpreendente. O poder de curar o corpo é um presente divino e como tal, devemos adquiri-lo e usá-lo. Porém, EU SOU quer dar-nos muito mais. Há alguns que se queixam de que esta afirmação não curou seu enfermo. É porque eles se esqueceram das condições exigidas. Esqueceram-se de que são semeadores do poder do — EU SOU —, eles têm que regar a semente, sem pedir a natureza que encurte o tempo de brotar; eles querem o milagre absurdo, e não sabem que todas as enfermidades não podem melhorar-se da mesma maneira e no mesmo tempo e circunstância. Por outras parte, se esquecem também de que a morte é uma bênção em todas as ocasiões; e que se o curador quisesse e pudesse curar todas as enfermidades não haveria mais morte; e a imortalidade no corpo físico é um absurdo e uma maldição ao mesmo tempo. Sem embargo, como sabemos se o enfermo melhorou com nosso poder? Não pode se dar o caso de que sua intuição despertada por nós, o guiou a chamar um médico que acertou com sua doença e o curou? Por que devemos afligir por sua melhora nas mãos do médico? O que afirmamos não é o seguinte: EU SOU A CURA DOS ENFERMOS? E se o doente fica curado, o que mais queremos? Se EU SOU A CURA DOS ENFERMOS porque queixarmos se não melhora conosco e que papel temos nós em sua cura? SOMOS CANAIS DO — EU SOU — À CURA e nada mais.

140

EU SOU O QUE O CRIADOR É. LOGO:
EU SOU O CONSOLO DOS AFLITOS.

Desta forma, seremos o instrumento consciente do Íntimo e cada indivíduo que chega a ter contato conosco sente alívio, e poderemos dizer como Jesus: "Alguém me tocou, porque uma força saiu de mim". O Íntimo — EU SOU — dentro de nós, é uma fonte inesgotável de vitalidade e de consolo e por este motivo temos a faculdade de curar e consolar.

141

EU SOU O QUE O CRIADOR É. LOGO:
EU SOU O QUE SOU EM CADA SER.

Existem certos seres que acreditam que o unico bem que se pode fazer à humanidade é a cura dos doentes, crendo que este dom é o mais alto e o mais valioso de todos; e quando, com freqüência, seu poder curativo desfalece, afligem-se por isso. Devemos compreender que — EU SOU — tem muitas finalidades em cada ser. Nem todos os homens devem curar enfermos. Há muito que fazer na obra divina. O mundo necessita de padeiros, engenheiros, sapateiros, escritores, artistas etc.; que cada qual cumpra com seu dever em sua profissão, posto que — EU SOU — tem diversas manifestações e nenhum dom é maior do que outro.

142

EU SOU O QUE O CRIADOR É. LOGO:
EU SOU O AMOR EM TODO SER.

O dom de curar enfermos não é maior do que o de lavrar a terra; nem o poder de fazer milagres é maior do que a caridade; porém, o maior de todos os dons é o do amor, porque sem amor, nada se aproveita. "O amor é paciente, o amor é bondoso, o amor é caridade, o amor não tem inveja, o amor não age precipitadamente, o amor não se ensoberbece, o amor não conhece ambições, o amor não busca proveito, o amor tudo tolera, tudo crê, tudo espera, tudo releva. Ele não perece nunca. O amor é perfeito. O amor dissolve toda forma de enfermidades, erros, contrariedades e penas. O amor não falha nunca." Assim enunciou Paulo alguns dos dons de — EU SOU — O AMOR.

143

EU SOU O QUE O CRIADOR É. LOGO:
EU SOU O VALOR QUE ELIMINA TODO MEDO DE FRACASSO.

Devemos ter o valor de considerar o fracasso como sendo êxito, e realmente assim o será. A derrota do bem não é senão uma retirada momentânea para preparar o plano da vitória. Jesus ante

Pilatos, estava em estado de sofrimento e fracasso; mas Jesus cumpria a vontade do Pai nele e sabia de antemão que o triunfo se aproximava sem demora. O fracasso não é senão a morte do que é velho. A vida anterior che a de erros é velha e deve morrer.

144

EU SOU O QUE O CRIADOR É. LOGO:
EU SOU A ONIPRESENÇA EM CADA SER.

Quando chegam os períodos de transição é porque — EU SOU — ONIPRESENTE E ONISCIENTE, em nós, está nos guiando para esferas mais altas. Sem desencorajamento, nem medo, devemos esperar tranqüilos NELE para que nos tome a mão a nos guiar; porque ELE não tem outro propósito senão converter-nos em gigantes do saber, do amor e do poder, buscando o bem pelo bem, a vida porque é a vida, a obra criadora por si, não pela bagatela do pagamento. Os resultados nos serão dados "por acréscimo".

145

EU SOU O QUE O CRIADOR É. LOGO:
EU SOU A VERDADE, O CAMINHO E A VIDA.

Muitos perguntam: E que vamos fazer? — Pois aqui está a resposta dada por Cristo: EU SOU a VIDEIRA E VÓS SOIS OS RAMOS. QUEM HABITA (CONSCIENTEMENTE) EM MIM E EM QUEM HABITO EU, ESSE DARÁ FRUTOS DE SI, PORQUE SEM MIM (Sem comunicação consciente comigo) VÓS NADA PODEIS FAZER... SE MORAIS EM MIM E MINHA PALAVRA MORA EM VÓS, O QUE QUER QUE PEDIRDES, ISSO SE FARÁ EM VÓS.

Morar no — EU SOU — e ELE em nós, é tratar de sentir esta verdade e não conhecê-la somente pela mente. Os três pontos de apoio para chegar à meta são: Aspirar, respirar e pensar afirmando. Não se deve esquecer de que o pensamento central, o mais alto, o primeiro e o último deve ser o de comunhão com — EU SOU — Unidade com ELE, viver NELE e NELE sentir conscientemente a realidade; então podemos pedir o que quisermos sem limitações e tudo nos será dado.

146

EU SOU O QUE O CRIADOR É. LOGO:
EU SOU A VIDA. EU SOU O DADOR DA VIDA.

O psicólogo difere do sábio espiritualista. O primeiro crê que a demanda repetida, constante, importuna é a que nos dá as coisas que desejamos; enquanto que o segundo ensina que os dons gratuitos do Espírito nos tem sido dados já antes de que existíssemos na forma atual e que o objetivo da palavra é fazê-los manifestar na visibilidade. Sem embargo, ambos obtêm resultados porque ambos têm fé.

147

EU SOU O QUE O CRIADOR É. LOGO:
EU SOU A LEI ETERNA DO BEM.

Esta afirmação nos convence de que todos vivemos em uma só verdade. A consciência, a subconsciência ou inconsciência e a superconsciência são variações na única verdade sem oposições. A razão iluminada sabe que EU SOU DEUS não pode senão ser fonte de bondade; o que chamamos mal não é senão o erro do eu pessoal. "Se teu olho é luminoso teu corpo está cheio de luz", disse o Mestre.

148

EU SOU O QUE O CRIADOR É. LOGO:
EU SOU A VIDA QUE PULSA E PALPITA NO CENTRO.

Devemos chegar ao centro de nosso ser onde mora permanentemente o Poder Onipotente; devemos sentir conscientemente A PRESENÇA DO EU SOU. Aquele que mira o centro terá um só olho, isto é, não pode ver senão o poder do bem; MAS NÃO O BEM E O MAL, PORQUE NINGUÉM PODE SERVIR A DOIS SENHORES, crendo que existem ao mesmo tempo, o demônio e Deus. Viver com um só olho, ou ter um olho bom é não ver nada mau, nada negativo, nada destrutivo. Nunca atacar o mal, nunca o combater, nunca o resistir, porque nunca o vê. Sem ciúmes, sem desprezos, sem resistências, sem oposições, senão simplesmente sem vê-lo.

Quem olha e sente o "Centro" de cada ser, contata somente Luz e não o **poder do mal.**

149

EU SOU O QUE O CRIADOR É. LOGO:

EU SOU AQUELE QUE É, FOI E SERÁ.

EU SOU AQUELE QUE É LUZ, AMOR E VIDA em cada ser, em todas as coisas, aqui, ali, em toda a parte. LUZ como expansão criadora; AMOR como lei universal; VIDA como evolução eterna. Quem me conhece e reconhece em Espírito, conhece a história dos mundos, sente em si o universo, conhece todas as leis e sabe dirigi-las; sente em si todos os seres; é em MIM e eu nele.

150

EU SOU O QUE O CRIADOR É. LOGO:

EU SOU O SOL CENTRAL QUE IRRADIA SILENCIOSAMENTE EM TODA DIREÇÃO.

Oxalá todo estudante compreenda esta afirmação: EU SOU DEUS NO CENTRO, como o Sol, porque cada indivíduo que sente que é alma vivente emanada deste centro perfeito e se mantém em sua convicção, sua irradiação crescerá dia a dia e — EU SOU — começará a radiar dele e nele em todas as direções com poder crescente, sem ruído, sem palavras, levantando e enobrecendo todos os que passam por seu caminho.

151

EU SOU O QUE O CRIADOR É. LOGO:

EU SOU O CENTRO RADIANTE EM CADA SER.

Se queremos ajudar àqueles que se extraviaram do caminho reto; se desejamos guiar àqueles que ainda não conhecem estas verdades, não temos senão que pensar neles e afirmar o anterior, com a condição, porém, de não analisar, nem ver o mal neles, porque, em realidade, o mal e o demônio não existem. Afirmar que EU SOU O CENTRO NELES, a trasformação deles se observará em poucos dias.

("Nota: se não se obtém resultado favorável é porque faltou o espírito de sacrifício que se satisfaz em agir caladamente, e quem afirmou nesse caso, não era senão a mente que não queria dar sem pedir recompensa. Sim, é muito difícil fazer o bem sem olhar a quem e dar esmolas sem tambores e trombetas.")

152

EU SOU O QUE O CRIADOR É. LOGO:
EU SOU A UNIDADE DA DIVERSIDADE.

Só os homens acreditam que estão separados da Unidade, do EU SOU DEUS, e por tal motivo formam nações, pátrias, reinos, repúblicas, partidos, religiões etc., para viverem em antagonismos e guerras permanentes. Especulam até com Deus, e em seu nome cometem as atrocidades mais cruentas uns contra os outros, esquecendo o único preceito para a salvação: "Amai-vos uns aos outros".

153

EU SOU O QUE O CRIADOR É. LOGO:
EU SOU DEUS EM QUEM CADA SER VIVE, MOVE-SE E TEM SEU SER.

Quando chegamos a viver esta verdade divina, somos Deuses em Deus. Desaparecem de nossa mente toda idéia de separatividade e nosso coração se expande em amor desde a Unidade. Assim estamos todos em harmonia com as leis do Infinito, baseadas sobre a inteligência e o amor; somos todos filhos de um só Pai.

154

EU SOU O QUE O CRIADOR É. LOGO:
EU SOU A SUBSTÂNCIA DE TODAS AS COISAS.

Esta substância, este princípio é imutável; é a Lei que não sente dor, nem é susceptível ao pranto do homem. Esta Lei é Amor, Poder, Sabedoria, Inteligência, Acerto, HARMONIA e tudo o que é bom e positivo. Seu uso e manejo nos ajudam sempre a elevarmonos e progredir; o abuso no manejo desta Lei, é o que produz a dor, o pranto e o desconsolo. Quanto mais refletimos sobre isto, mais se expande nosso ser em grandeza e em poder.

155

EU SOU O QUE O CRIADOR É. LOGO:

EU SOU O PRINCÍPIO E O FIM DO UNIVERSO E DE CADA INDIVÍDUO.

O princípio é individual desde o momento em que se faz carne. O princípio é incomovivel à ira, à piedade e à simpatia porque é a Lei; porém, — EU SOU — NO CENTRO DO HOMEM, trata de fazer este conhecer a Lei Imutável, para que a utilize em seu auxílio, confiando nela. Pois, — EU SOU — A SABEDORIA, VIDA, PODER E LEI transformam o ser humano em canal ou instrumento realizador de sua Sabedoria, Amor e Poder. Sem embargo, chega um momento em que o coração mais bravo se curva por um instante sob os pesos abrumadores da vida, enquanto que a mente do eu pessoal sente sua incapacidade aflitiva que dela arranca aquele grito: "Deus meu, porque me abandonaste?" Depois: "Que seja feita a Tua vontade e não a minha, em Tuas mãos entrego meu espírito."

156

EU SOU O QUE O CRIADOR É. LOGO:

EU SOU O REFÚGIO DOS PECADORES.

Toda alma chega uma vez à dúvida e à desesperação, e se crê só e abandonada de Deus e dos homens. O coração se sente ferido, quase se paralisa e não pode ter por um momento um pensamento correto. Precisamente neste lapso, deve-se buscar o refúgio no Íntimo que é Pai-Mãe e analisar que estes sofrimentos são necessários para chegar a clamar com toda a ânsia do coração: "Faça-se Tua vontade na Terra como no Céu". Estes sofrimentos agigantam o poder do — EU SOU — no homem, porque nós não conhecemos suas pulsações e seu poder dentro de nós; mas, pelos sofrimentos acudimos a ELE e O chamamos, e assim ELE se expressa à visibilidade em nós e por nós.

157

EU SOU O QUE O CRIADOR É. LOGO:

EU SOU A LIBERAÇÃO DE TODA ALMA ENCADEADA.

A história da saída do povo de Israel liberando-se da escravidão egípcia, nunca aconteceu em nenhuma época. Este relato não é senão uma alegoria da alma humana que abandona a parte animal de seu ser, passando pelo Mar Vermelho, o fígado criador das paixões, até chegar à Terra Prometida, à liberação pela Espiritualidade.

"Eu vi a aflição de meu povo que está no Egito (na ignorância de minhas Leis) e ouvi o pranto causado pelo seus tiranos (enfermidades, erros, fracassos, pobrezas) e desci para libertá-la e levá-la a uma terra onde flui o leite, o mel e todas as coisas boas."

Estas palavras expressam o amor do — EU SOU — para com o homem. Deixemo-nos guiar por ELE para a Terra Prometida, para a liberação.

158

EU SOU O QUE O CRIADOR É. LOGO:
EU SOU A SAÚDE DA ALMA E DO CORPO.

Cada mal-estar, cada dor se corrige e se alivia com esta afirmação.

Isto não significa que devemos abandonar totalmente a medicina; devemos usar com moderação certos remédios, até adquirirmos suficiente fé em nossa união com o — EU SOU —. Não é o agente medicinal que dá alívio à dor, senão a Presença do — EU SOU — é que dá poder ao agente medicinal.

159

EU SOU O QUE O CRIADOR É. LOGO:
EU SOU A ENERGIA PERFEITA QUE ATUA AQUI E ALI.

Os homens científicos acreditam no poder curativo de certas drogas ou agentes medicinais e que este agente produz alguma ação química natural que corresponde ao elemento que está no corpo. Isto está muito bem, mas, devemos saber que EU SOU DEUS EM AÇÃO EM TODAS AS COISAS, e esta afinidade não é senão a Presença do — EU SOU — que lhes faz pensar e acreditar nisto. Mas, quando uma pessoa que tem autoridade no assunto, diz que este remédio não serve mais, em curto tempo este remédio desaparece para sempre.

160

EU SOU O QUE O CRIADOR É. LOGO:

EU SOU A ÚNICA PRESENÇA, A ÚNICA VIDA, A ÚNICA SAÚDE.

Seguramente, que no princípio, o estudante crê que a saúde vem de fora através de agentes medicinais; mas, quando chega a compreender que médicos e medicina têm somente o objetivo de ajudar o doente a volver à lei natural, e que nenhuma medicina, nem médico, fecham ou cicatrizam uma ferida sem a Presença Divina no homem, então compreenderá que — EU SOU — é a única saúde. E se o estudante duvida desta verdade, que pergunte e procure todos os médicos e medicinas do mundo para ver se podem cicatrizar a ferida em um cadáver

161

EU SOU O QUE O CRIADOR É. LOGO:

EU SOU DEUS EM AÇÃO NO INDIVÍDUO.

Esta afirmação traz o aspirante cada vez mais à consciência da completa atividade inteligente do EU SOU; porque quando ele diz — EU SOU — põe em ação dentro de si, sabendo-o ou não, a plena e pura energia do Íntimo. A energia se converte em Poder Consciente para uso constante.

162

EU SOU O QUE O CRIADOR É. LOGO:

EU SOU A INSPIRAÇÃO PERFEITA E PURA.

Quando a consciência do homem se eleva, atrai a seu mundo todo o indivíduo que se põe em contato com Ela porque todo o mundo se eleva à atividade interna e põe em movimento a energia divina ao dizer — EU SOU.

163

EU SOU O QUE O CRIADOR É. LOGO:

EU SOU A LUZ NA MENTE.

Devemos visualizar essa Luz e fazer imagem dela em nosso cérebro, coração e corpo.

164

EU SOU O QUE O CRIADOR É. LOGO:

EU SOU A REVELAÇÃO PERFEITA DE TUDO O QUE A MENTE QUER SABER.

Algum dia todo homem tem que chegar a ser consciente de seu poder íntimo, abraçar o grande poder do — EU SOU DEUS — e fazê-lo atuar. No momento devemos buscar com perseverança e conscientemente nossa herança e propriedade.

165

EU SOU O QUE O CRIADOR É. LOGO:

EU SOU, AGORA, A LIBERAÇÃO DE TDDO ERRO.

Já chegamos, enfim, a este ponto. Havendo dado conta de uma escravidão opressora, levanta-mo-nos para abandonar as trevas da ignorância (Egito) e caminhar para a Terra Prometida, a liberdade no mundo interno do — EU SOU.

166

EU SOU O QUE O CRIADOR É. LOGO:

EU SOU DEUS EM MEU TEMPLO-CORPO.

O homem, primeiramente, sofre na parte mais grosseira e animal de seu ser, vários acontecimentos no caminho de sua ascensão para superar e para compreender que ele é uno com — EU SOU DEUS — mas, esta realização lhe dá a liberação de todos os sofrimentos porque, por fim, adquiriu a soberania e a iluminação para dizer como Jacob: "EU SOU está aqui (dentro de nós) e eu não o sabia."

167

EU SOU O QUE O CRIADOR É. LOGO:

EU SOU O PODER INTELIGENTE QUE GOVERNA TODA ATIVIDADE.

Sempre temos buscado ajuda e consolo nos demais; porém, tudo tem sido em vão, porque todo gozo e fortaleza emanam de uma fonte que brota do fundo de nosso próprio ser. Quando compreendemos e sentimos esta verdade, então ninguém e coisa alguma afetar-nos-á em qualquer sentido, porque nenhum ser pode privar-nos de nosso gozo, de nosso bem e de nossa liberdade.

168

EU SOU O QUE O CRIADOR É. LOGO:
EU SOU A FELICIDADE SUPREMA.

A poderosa Presença do EU SOU trespassa tudo. A chave simples da felicidade perfeita e seu poder que se mantém por si só, é controlar-se a si mesmo, sentindo que — EU SOU — está em todas as partes controlando cada atividade externa, levando-a para a perfeição. Nossa felicidade procede de nosso sentir que somos um com o — EU SOU — e que somos amor, perdão e poder.

169

EU SOU O QUE O CRIADOR É. LOGO:
EU SOU A ÚNICA PRESENÇA ATUANTE.

Cada ser é — EU SOU DEUS ATUANTE — que dirige toda a energia; mas, esta energia pode ser intensificada mais além de qualquer limite pela atividade consciente da mente objetiva. — EU SOU — assemelha-se ao caroço que contém a futura amendoeira, se chega a romper a casca. Seguramente, que todo homem é — EU SOU — mas, se não chega a viver e a sentir conscientemente esta verdade, seguirá como o caroço guardando em seu coração e esperando as quatro estações com o poder de seus quatro elementos para nascer de novo.

170

EU SOU O QUE O CRIADOR É. LOGO:
EU SOU A SATISFAÇÃO DE TODO ANELO.

Por meio do pensamento e do sentimento, o homem não tem limites a seu poder. "Pensar alto e sentir fundo" com consciência, EU SOU DEUS EM AÇÃO, realiza e satisfaz qualquer coisa que se desejar.

171

EU SOU O QUE O CRIADOR É. LOGO:
EU SOU O CRIADOR DESTE CORPO-MUNDO.

Aquele que sente esta verdade nunca tem direito de desejar e criar coisa alguma discordante no mundo de outro ser ou de si mesmo. Cada um tem que enfrentar sua própria causa criativa e ninguém tem direito de queixar-se de ninguém, nem de Deus como alguns fazem, relativamente ao estado ou posição em que se encontram.

172

EU SOU O QUE O CRIADOR É. LOGO:
EU SOU O PODER INTELIGENTE QUE DOMINA E CONTROLA O FÍSICO.

O controle de si mesmo sobre as atividades externas é um dos objetivos do — EU SOU —; desta maneira pode-se manter a harmonia necessária através da qual se manifesta o Grande Poder do Íntimo nos atos conscientes e visíveis do homem.

173

EU SOU O QUE O CRIADOR É. LOGO:
EU SOU A CONSCIÊNCIA DE TODO PODER E ATIVIDADE INTERNA.

Devemos saber e sentir a Grande Verdade: "Onde está a consciência do homem aí está ele, porque — EU SOU — está em todas as partes". Esta consciência persistente elimina de nossa mente objetiva a medida do tempo e do espaço, que são medidas externas que nos separam do Grande Poder do Íntimo. O espaço e o tempo não poderão existir depois de sentirmos a Presença do — EU SOU.

174

EU SOU O QUE O CRIADOR É. LOGO:
EU SOU A LIBERDADE E A LIBERAÇÃO.

Com esta afirmação podemos livrarmo-nos da influência da dúvida e do temor e o aspirante pode depois, empunhar o cetro do poder e avançar com coragem para a meta que deseja, e tornar-se ativo em qualquer esfera de ação que eleger.

175

EU SOU O QUE O CRIADOR É. LOGO:
EU SOU PERFEIÇÃO ONIPRESENTE.

Nunca devemos **discutir** a incapacidade, os defeitos ou as faltas nossas ou de nossos amigos, associados ou inimigos, porque estes juízos além de danificar e obscurecer nossa consciência, aumentam mais a aparência do erro nas pessoas julgadas. "Não julgueis para não serdes julgados". Nossa atenção não deve **fixar-se** em nenhum defeito alheio, nem na ofensa recebida do próximo.

176

EU SOU O QUE O CRIADOR É. LOGO:
EU SOU A PRESENÇA QUE CONTROLA A ATENÇÃO.

Poucos são os que entendem que a faculdade de atenção é a mais poderosa do homem, quando está controlada conscientemente. Só os seres que podem chegar ao controle da atenção podem converter-se em super-homens e magos do pensamento e do verbo.

177

EU SOU O QUE O CRIADOR É. LOGO:
EU SOU A ONIPOTÊNCIA NA MENTE.

Com esta afirmação o aspirante sentirá que é uma tolice afetar-se, desgostar-se ou molestar-se por causa das atividades imaginárias do Eu Pessoal. Com esta convicção se torna imune ao dano ou a qualquer transtorno da mente estranha de outras pessoas, não importando o que elas tratem de fazê-lo.

178

EU SOU O QUE O CRIADOR É. LOGO:

EU SOU A DIREÇÃO, O CONTROLE E O DOMÍNIO NO CORPO E NA MENTE.

Quando a mente se afasta das ocupações e preocupações externas, se abre ante ela a inteligência, e a vontade a atrai. Então, se desperta o gigante em nós para que se eleve à Divindade que mora em nosso interior. Se alguém, perto de nós, está descontrolado, não devemos censurá-lo; ao contrário, devemos entrar em comunhão com seu próprio Íntimo e pedir nesta comunhão à Sabedoria Infinita que o envolva. — EU SOU — sabe o que quer dele; nós não o sabemos nem o saberemos nunca; mas, trataremos de abrir nele seus canais para que receba a Luz Interna.

Quereis ajudar a humanidade como pretende todo aspirante? Pois este é um método simples, eficaz e poderoso.

179

EU SOU O QUE O CRIADOR É. LOGO:

EU SOU A PRESENÇA QUE MORA EM CADA SER E FAÇO MINHA VONTADE.

O maior bem que podemos fazer a um amigo, a uma autoridade ou um inimigo é dizer-lhe em seus momentos de aflição (silenciosamente): — EU SOU — MORA EM TI, CUIDA DE TI PARA QUE CUMPRAS SUA LEI E QUE SE MANIFESTE EM TI E ATRAVÉS DE TI

Damos estas afirmações aos que querem ajudar a Humanidade para que as pratiquem em todos os momentos necessários. Depois, deixem a pessoa nas mãos do — EU SOU — e não se angustiem por ela. Confiem nos resultados, pois serão muito superiores aos pedidos ou pensados.

180

EU SOU O QUE O CRIADOR É. LOGO:

EU SOU O ÚNICO, INFINITO, PERFEITO, PRESENTE EM TODA ALMA.

Toda alma vivente é uma emanação de um único e mesmo Infinito, embora umas vibrem mais intensamente que outras de acordo com seu despertar. Se o discípulo irradiou conscientemente, essa irradiação já pode radiar em todas as direções, sem ruídos, sem palavras, levantando e enobrecendo a todos os que passam por seu caminho Se quer ajudar aos que necessitam disto, que declare que eles são centros radiantes do — EU SOU — e em breves dias, virá a transformação. EU SOU O ÍNTIMO mudará em um dia mais do que poderá ser mudado em anos. Este é o método de ajudar aos demais, impessoal e incognitamente, que atrai a bênção divina sobre o discípulo e lhe abre a porta que o conduz à união com ELE.

181

EU SOU O QUE O CRIADOR É. LOGO:
EU SOU O ELEVADO; ATRAIREI A TODOS OS HOMENS.

É outro caminho para guiar a Humanidade para a superação. EU SOU CRISTO DENTRO DE CADA SER QUE TRATA DE ELEVÁ-LO PELA HARMONIA DAS LEIS ETERNAS E IMUTÁVEIS.

EU SOU, como substância, como o que está embaixo, atrás, dentro e no fundo de todas as coisas, como princípio imutável, e o homem com sua mente consciente pode usar esta lei e substância imutável para a elevação da humanidade, para o amor, a simpatia e a caridade. EU SOU O ELEVADO QUE TE ATRAIRÁ PARA MIM. Esta afirmação dirigida ao próximo fará que sua alma chegue com alegria ao — EU SOU.

182

EU SOU O QUE O CRIADOR É. LOGO:
EU SOU A META DE TODO CORAÇÃO.

Podemos assegurar que cada homem que anela esta meta receberá toda a ajuda necessária para si e para os seres aos quais deseja ajudar. Quem fixa a atenção conscientemente e com vontade sobre o que deseja, o obterá. A Atenção é o canal pelo qual a energia do — EU SOU —, através do pensamento e sentimento, flui para sua realização dirigida.

183

EU SOU O QUE O CRIADOR É. LOGO:

EU SOU O BEM QUE FLUI PERMANENTEMENTE PARA A EXPRESSÃO.

O visível procede do invisível. Devemos ter confiança em que — EU SOU — é a fonte inesgotável de todos os bens e que ninguém pode obstruir esta Fonte nem privar-nos de nosso bem e de nossa liberdade. Todo homem pode converter-se em receptor e dador dos bens de Deus. Tudo o que EU SOU DEUS EM AÇÃO significa é realmente nosso se sabemos como aproveitar e receber seus dons.

184

EU SOU O QUE O CRIADOR É. LOGO:

EU SOU A ÚNICA PRESENÇA QUE ATUA.

Se o medo faz o homem crer que há uma pessoa ou presença que estorva, é a mente carnal a responsável por isso. — EU SOU — A ONIPRESENÇA EM TUDO elimina toda trava e todo estorvo. — EU SOU — dissolve todo medo, toda a dúvida quando o discípulo diz: "Eu posso". "Eu Sou o Saber e eu sei." Acontecerá que a miúde terá iluminação e revelações e qualquer condição que necessita virá imediatamente a ele por qualquer meio, e este será sempre justo e bom para todos.

185

EU SOU O QUE O CRIADOR É. LOGO:

EU SOU A JUSTIÇA QUE TUDO REGE.

"Pedi o Reino de Deus e seu justo uso". O aspirante deve afirmar sempre que — EU SOU — a justiça cujo poder é invencível e que o homem é o canal poderoso da justiça.

Pensar nos governantes do mundo e lançar a afirmação precedente é convertê-los em servidores do mundo em vez de tiranos, porque — EU SOU — governará com justiça e amor através deles.

Esta é a grande maneira de ajudar à Humanidade e não como acreditam alguns que a única ajuda aos demais consiste em curar enfermos.

186

EU SOU O QUE O CRIADOR É. LOGO:
EU SOU A VERDADE QUE FAZ LIVRE A CADA SER.

Quando Jesus disse: "Conhecereis a verdade e a verdade vos fará livres", nos convidou a reconhecer a — EU SOU — por meio da meditação e o sentir: Sentir primeiro que — EU SOU — O CRIADOR DESTE MUNDO, e em segundo que EU SOU A PRESENÇA ATUANTE NELE. Não devemos deixar que a mente pense algo contrário a esta verdade, porque de outra maneira, nos assemelharíamos ao ignorante que se veste com roupa nova para ir limpar a sujeira das ruas.

Nunca se deve pensar em coisas desagradáveis passadas. Nunca devemos retê-las em nossa mente; "devemos esquecer e perdoar".

Dar e perdoar é o lema do — EU SOU.

187

EU SOU O QUE O CRIADOR É. LOGO:
EU SOU A PLENITUDE DO AMOR.

Nunca existiu o Deus que ensinava: "Olho por olho e dente por dente". Quando depuramos este conceito que temos DELE, chegamos a depurar toda forma, aspecto ou idéia que se concebe no mundo.

Quando estamos prestes para afrontar com valor tudo sem desejo de criticar, condenar ou odiar, então seremos livres sobre a Terra, a iluminação nos virá, e nosso corpo não será senão uma sombra inconsistente que vai do nascimento à tumba. Devemos repetir silenciosamente esta afirmação à pessoa com a qual estamos em desacordo, desejando-lhe bênçãos e prosperidade. É o único caminho que nos livra do fracasso do eu inferior.

188

EU SOU O QUE O CRIADOR É. LOGO:
EU SOU A RIQUEZA, O BEM-ESTAR, A FELICIDADE E TODA COISA CONSTRUTIVA QUE SE PODE CONCEBER E DESEJAR.

Esta é a verdadeira liberdade econômica para si e para os demais.

Quantas vezes temos desejado a riqueza aos demais? Cada qual que responda a si mesmo. Queres ajudar teus irmãos na vida? Queres levantar o próximo? Pois aqui tens o método: este é o caminho e a porta que podes abrir diante de quem tem necessidade de abundância e bem-estar.

189

EU SOU O QUE O CRIADOR É. LOGO:
EU SOU A RESSURREIÇÃO E A VIDA DE TODO TRABALHO, ENTENDIMENTO, DESEJO E ATENÇÃO.

A Divina Presença — EU SOU — invocada nas situações difíceis, varre o desalento, o ódio e toda condição indesejável no trabalho e nos negócios. Desta maneira, o discípulo permite que a potente energia interna flua para seu desejo e assim pode recuperar a perda sofrida.

190

EU SOU O QUE O CRIADOR É. LOGO:
EU SOU A TOLERÂNCIA E A LEI DO PERDÃO.

Não devemos julgar nunca, porque não temos nenhum direito de fazê-lo e porque não conhecemos as condições ou forças sob as quais atuou nosso próximo. Julgar é pior do que assassinar, porque o pensamento e o sentimento desta índole são poderes criadores e viciosos dirigidos ao ser julgado; dana-os obrigando-os a agir segundo a energia acumulada neles e, em seguida, voltam a quem os emitiu para destruí-los e destruir suas empresas e assuntos.

191

EU SOU O QUE O CRIADOR É. LOGO:
EU SOU O ÚNICO CONTROLE DENTRO (DESTE SER).

Se encontramos um irmão desviado, em vez de criticá-lo e julgá-lo, devemos derramar sobre ele a tolerância e o amor com a afirmação precedente; falando silenciosamente à sua consciência se lhe dá a maior ajuda.

Dizem que da discussão nasce a luz; isto é falso. Não se deve discutir nunca, porque a discussão atrai antagonismo. Ninguém sabe o que o — EU SOU — deseja fazer na outra pessoa.

Um pensamento de amor vai direto à consciência do próximo, onde por sua vez gera amor e volta ao que o emitiu cheio de flores e frutos de amor.

192

EU SOU O QUE O CRIADOR É. LOGO:

EU SOU O PENSAMENTO E O SENTIMENTO DE AMOR EM TODA MENTE E CORAÇÃO.

A maioria das enfermidades do corpo e da mente provêm do sentimento destrutivo, como a inveja, o rancor, etc. que se envia a outras pessoas. Ninguém pode calcular como reagem estes sentimentos sobre o corpo vital de quem os emitiu. Não se deve ter nem ressentimento, porque é um grau menor de rancor e de ódio. A afirmação que precede não somente traz descanso e paz, senão que também traz consigo, dons ilimitados da Presença Divina.

193

EU SOU O QUE O CRIADOR É. LOGO:

EU SOU A JUSTIÇA DIVINA EM TODA MENTE E EM TODO CORAÇÃO.

A justiça nada mais é do que a expressão da lei eterna e inalterável. Esta lei não se viola jamais. Quem faz uma má ação deve pagá-la cedo ou tarde. A lei natural não distingue entre o justo e o injusto. Aquele que sabe como colocar eletricidade em sua casa, terá luz e força, seja ele um malvado ou um santo. Aquele que conhece a lei da prosperidade adquire a prosperidade, sem que a natureza se ocupe de si se é um sábio ou um ignorante. Aquele que pega um carvão aceso com uma pinça não queima a mão, seja ele um anjo ou um demônio.

A ignorância que é atrevida, desafia a lei e ocasiona a si mesma o dano. A lei e a justiça são bondades e amor; quando o homem lança no espaço pensamentos, sentimentos e ações de caráter destrutivos encontrará em sua vida, em seus negócios, em sua família, reações destrutivas.

194

EU SOU O QUE O CRIADOR É. LOGO:

EU SOU O AMOR, ENCHENDO A MENTE DOS POVOS E DAS NAÇÕES.

Quando um povo inteiro lança ao espaço vibrações de ódio, de guerras, de ambições e de mesquinharias não deve se queixar ao encontrar depois as mesmas condições. Quando um homem ou povo radia amor, confiança, otimismo, generosidade, etc...., não faz senão operar a lei para uma causa melhor, segura e inevitável. Eis aí a justiça. Aquilo que nossa atitude mental reclama é o que recebemos; nem mis e nem menos.

195

EU SOU O QUE O CRIADOR É. LOGO:

EU SOU O PODER E O JUSTO USO DO REINO NO HOMEM.

O reino é o amor, o acerto e a justiça que estão dentro de nós próprios. Devemos desenvolvê-los em nós, e não criticar os que prosperam atribuindo-lhes boa sorte.

Repitamos constantemente esta afirmação para adquirir o justo uso e o acerto com amor em nossos pensamentos, palavras e ações.

Aquele que pede justiça deve aprender a ser justo consigo mesmo e com os demais. Aquele que aceita que — EU SOU — mana justiça em seus assuntos, encontra segurança, confiança e serenidade.

196

EU SOU O QUE O CRIADOR É. LOGO:

EU SOU A FORTALEZA E O PODER DESBORDANTE (EM TI).

A energia de Deus está esperando sempre que se lhe porha em uso.

A expressão — EU SOU — está inerente à atividade, à força, à fortaleza, etc... que sustentam o Todo. Devemos recordar sempre que o tempo não existe, e estas afirmações nos levam à ação instantânea e os resultados se manifestam logo, e sentimos esta tranqüilidade absoluta, sobretudo se a usamos para ajudar o próximo, que esteja complicado em qualquer assunto, que lhe esteja roubando força e energia.

197

EU SOU O QUE O CRIADOR É. LOGO:
EU SOU O VALOR E O VIGOR (EM TI).

É a afirmação contra o medo. As glândulas supra-renais, sob a ação de circunstâncias repentinas ou extraordinárias, segregam certa substância que entra na circulação do sangue para produzir uma ação de resistência e de vigor; o desgaste destas glândulas deixa o homem sob o domínio permanente do medo e lhe tira a confiança em si mesmo; está sempre cansado física, mental e espiritualmente sem poder renovar suas forças.

Está comprovado que a sensação de cansaço é meramente imaginativa, porque se tem observado que sob a pressão de circunstâncias extraordinárias, o cansaço desaparece e a fortaleza volta para executar o trabalho mais intenso.

198

EU SOU O QUE O CRIADOR É. LOGO:
EU SOU A FÉ, A ESPERANÇA E A ALEGRIA (EM TI).

Devemos repetir esta afirmação sempre e sobretudo à noite antes de dormir, porque o último pensamento antes de entregar-se ao sono deve ser alegre, cheio de esperanças e vigor, para que o descanso, no sono, seja perfeito.

Aquele que, de manhã, acorda cansado, deprimido ou sem perfeita beleza física deve cuidar com sumo interesse que seus pensamentos sejam alegres e positivos.

Depois da afirmação pode dirigir os pensamentos aos rins a fim de que — EU SOU — enve seu veículo, o sangue, a essa região, enchendo-a de vigor; então o descanso é perfeito, e a saúde, o entusiasmo e a juventude se manifestam no corpo, no dia seguinte.

199

EU SOU O QUE O CRIADOR É. LOGO:

EU SOU A SUBSTÂNCIA QUE MODULA COM AMOR TODA EXISTÊNCIA.

Esta afirmação desenvolve e outorga ao discípulo a potência da abundância e o domínio da riqueza. Há muitos ricos pobres, porque a riqueza torna pequeno seus espíritos e sentem medo de dar.

Na prosperidade com amor não sabe nada de estreito nem pequeno. Para ser próspero devemos afirmar sempre que — EU SOU — A SUBSTÂNCIA CRIADORA DE TODA EXISTÊNCIA, e dar liberdade à riqueza para criar prosperidade por obra do amor e não pelo luxo ou desperdício. Saber gastar o centavo com o senso do uso justo e não os milhares tontamente.

200

EU SOU O QUE O CRIADOR É. LOGO:

EU SOU O AMOR, PRINCÍPIO E FIM EM CADA UMA DE TUAS OBRAS.

Está provado que o Universo foi formado em curvas e círculos e que, se nos lançássemos em linha reta no espaço, realmente acabaríamos por nos encontrar no mesmo ponto de partida. Assim sucede com nossas vibrações de amor ou de ódio; ao serem lançadas ao Universo, voltam sempre a nós mesmos, aumentadas de vibrações similares emitidas por outros seres.

201

EU SOU O QUE O CRIADOR É. LOGO:

EU SOU O AMOR INFINITO, FONTE DE RIQUEZA, ABUNDÂNCIA, PROSPERIDADE E ACERTO EM TI.

O amor não se limita à sexualidade, senão que abarca toda vibração de bondade.

Não somente é afetivo o amor, mas, também, impessoal, que pode ser um afeto bondoso para todos os seres onde quer que estejam. Este amor deixa no coração, uma sensação profunda de paz, de tranqüilidade e de felicidade imperturbáveis; é a lei do regresso das vibrações que lançamos; é o efeito da causa.

"Busquemos o Reino do Amor e todas as demais coisas nos serão dadas por acréscimo."

202

EU SOU O QUE O CRIADOR É. LOGO:

EU SOU O GRANDIOSO AMOR NO CORAÇÃO, PROJETADO CONSCIENTEMENTE PARA O MUNDO.

Enviemos estas irradiações, com toda nossa força; e a Poderosa Chama consome do mundo todo ódio, rancor e desarmonia entre os homens e todo o indesejável e imperfeito nas atividades de nosso mundo.

203

EU SOU O QUE O CRIADOR É. LOGO:

EU SOU A PAZ EM TODO CORAÇÃO, QUE FLUI NO MUNDO.

Se não temos paz em nosso coração não podemos proporcioná-la ao mundo. O amor consome com sua chama as imperfeições e seus efeitos dolorosos. A paz traz a felicidade e a beleza. Afirmemos com toda a energia do sentimento para que a paz tome lugar em nosso ambiente e mundo de atividade, e nossa luz iluminará a mente de nossos semelhantes para pedir e trabalhar para a paz.

204

EU SOU O QUE O CRIADOR É. LOGO:

EU SOU A ETERNA E ATIVA CHAMA DE AMOR DIVINO, QUE ENCHE TODO CORAÇÃO.

Esta invocação enche nossos corações com a Presença do Amor Divino e sua irradiação afasta da humanidade tudo o que é imperfeito, controlando os sentimentos com o amor divino. Seus raios penetram nos corações para tirar deles a crueldade e o egoísmo que os aflige. Sua compenetração faz desaparecer a ignorância humana e conduz os homens na senda luminosa.

205

EU SOU O QUE O CRIADOR É. LOGO:

EU SOU A LUZ INEFÁVEL QUE DISSIPA AS TREVAS PELO AMOR.

O que Jesus ensinou quando estava conosco é o que há de mais sublime que os livros podem conter. Jesus nos deu a religião prática e não a escrita. A presença do Cristo em nós inspira-nos e fala por nossas bocas; por conseguinte, o que dizemos não é nosso, senão do — EU SOU O CRISTO.

Nossa atividade em pensamentos, palavras e obras é a única criadora de toda limitação e discórdia; mas, quando entregamos o mando conscientemente ao — EU SOU —, não só influirá em nós, como também sua pureza e amor chegarão, através de nós, ao mundo de cada ser, produzindo beleza, harmonia e êxitos a que todo coração anela e clama.

206

EU SOU O QUE O CRIADOR É. LOGO:

EU SOU A ÚNICA E VERDADEIRA RELIGIÃO NO CORAÇÃO DE CADA SER, QUE VARRE COM TODA TRADIÇÃO SECTÁRIA RELIGIOSA E DESPERTA NOS HOMENS A FRATERNIDADE UNIVERSAL.

Meditar e contemplar o que significa esta afirmação traz os resultados que não podem ser apreciados suficientemente.

Sentir a verdadeira religião do amor é abarcar no coração todas as religiões do mundo e o discípulo há de sentir que o amor praticado é a única e verdadeira religião e que toda religião que predica o amor e não o pratica, é falsa.

Com a religião do amor não podemos ter medo de nada nem de ninguém, porque nos convertemos em focos de bondade e de caridade contra cuja luz nenhum poder das trevas pode prevalecer. A religião do amor é o princípio da realização da fraternidade universal.

207

EU SOU O QUE O CRIADOR É. LOGO:

EU SOU A PRESENÇA QUE GOVERNA O MUNDO E ELIMINA O NACIONALISMO E TODO SISTEMA DE ARMAMENTOS.

Esta afirmação anula a separatividade entre as nações e com a abolição dela, essas são guiadas a formar os Estados Unidos do Mundo para desenvolver e implantar um só credo, uma só religião, um só programa de ensinamento uniforme, um sistema social segundo os princípios da Cosmogracia e ensinar uma filosofia vital no sentido Cósmico.

208

EU SOU O QUE O CRIADOR É. LOGO:

EU SOU A PRESENÇA QUE GARANTE O DIREITO, A LIBERDADE E A DIGNIDADE A CADA INDIVÍDUO.

É muito lamentável que certas idéias religiosas e sociais tenham estendido um véu sobre as mentes humanas, impedindo, assim, a compreensão da verdade e do sentir de que cada um tem dentro de si a Presença Divina — EU SOU —. Devemos gravar novamente nas mentes e corações esta verdade, para que as más interpretações daquelas idéias errôneas sejam apagadas. — EU SOU — A PRESENÇA. Pense profundamente nisto; trate de sentir sua realidade.

209

EU SOU O QUE O CRIADOR É. LOGO:

EU SOU A PRESENÇA DO AMOR QUE SUPRIME AS FRONTEIRAS, AS BARREIRAS ALFANDEGÁRIAS, AS ARMAS, OS EXÉRCITOS E TUDO O QUE IMPEDE A FRATERNIDADE UNIVERSAL.

Este é o dever, esta é a missão de cada discípulo, de cada aspirante e de cada ser. Todos devemos enviar pensamentos e anelos pela realização a FRATERNIDADE UNIVERSAL. — EU SOU — necessita obreiros que trabalhem na vinha do Senhor; os discípulos são os melhores canais para comunicar sua presença aos homens. Já há alguns que podem realizar isto.

Quando o discípulo ou aspirante pensa e repete esta afirmação constantemente, por uns dias, tratando de encontrar a realidade de que elas são verdadeiras, os resultados se manifestam como por obra de magia em sua mente, seu lar e suas empresas.

210

EU SOU O QUE O CRIADOR É. LOGO:

EU SOU A INTELIGÊNCIA INFINITA QUE ATUA NA INTELIGÊNCIA FINITA.

Nossa inteligência individual é uma das coisas mais difíceis de explicar; mas, devemos sentir que somos, sem embargo, uma parte indivisível da Inteligência Universal e estamos em conexão direta com o INFINITO. A alma é a vestidura do — EU SOU — e o corpo é a roupagem da alma, mas, todos os três juntos, formam um só ser: O HOMEM.

211

EU SOU O QUE O CRIADOR É. LOGO:

EU SOU A VOZ DIVINA E SILENTE QUE FALA A TODO CORAÇÃO E MENTE.

Afirmar esta grande Verdade é motivo para que o discípulo comece a escutar com mais nitidez e mais a miúde, aquela voz interna que o guia em todas as coisas da vida. Deus é AMOR e sua verdadeira atividade se manifesta no coração, para que cada homem projete este amor como a água da fonte.

212

EU SOU O QUE O CRIADOR É. LOGO:

EU SOU O AMOR E PODER PRESENTES EM TODA VIDA.

Este é o majestoso privilégio do uso consciente do Amor. Meditar e contemplar o infinito poder do Amor faz o homem se transformar em uma fonte de manifestação inesgotável, para o uso consciente do poder do — EU SOU —. A Presença do Amor chega a todo ser que deseja dirigi-la com consciência para o bem do mundo.

213

EU SOU O QUE O CRIADOR É. LOGO:

EU SOU A PRESENÇA QUE REALIZA TODO DESEJO POSITIVO.

Esta afirmação dirige a Energia e a Sabedoria Divina para apressar a realização de certos assuntos ou atividades externas. O desejo do coração enfoca a energia do — EU SOU — a fim de projetar seu amor em qualquer propósito desejado e o trará rapidamente à manifestação.

214

EU SOU O QUE O CRIADOR É. LOGO:

EU SOU A PRESENÇA DO AMOR E DA HARMONIA DO INFINITO EM TODO SER.

Devemos acercar-nos da união com o INFINITO para chegar a sentir o acerto da Mestria e usá-la em forma tal que não a desconserte nem a adulação nem a crítica nem o egoísmo de sua própria natureza. Quem sente que EU SOU AMOR, PODER E SABER, mantém sua cabeça fresca ante o elogio e segue trabalhando no mundo passe o que passe e digam o que disserem.

215

EU SOU O QUE O CRIADOR É. LOGO:

EU SOU A PRESENÇA QUE PROTEGE A TODO SER OBEDIENTE À LEI, DE TODA DOENÇA EXTERNA.

Este é o privilégio de todo estudante e é sua arma a cada momento.

Todo discípulo é um caminhante para a Luz, e cada passo pode sangrar seus pés, porém aproxima-se mais à União, ao Poder e ao Saber.

Todo mal-estar externo é um fogo que tempera o ferro e o converte em aço; é o que fortalece o caráter, com o qual obtém o domínio perfeito sobre todas as coisas externas.

216

EU SOU O QUE O CRIADOR É. LOGO:
EU SOU O AMOR QUE AUMENTA A FELICIDADE DA ABNEGAÇÃO.

Esta afirmação será o primeiro prêmio do sacrifício, dando a oportunidade de fazer mais bem ainda, e desta maneira o Iniciado chega a sentir que o Reino de Deus está dentro de si mesmo. Que o Reino é a Inteligência, o AMOR, a Razão, a Fé, a Liberdade e a obediência às Leis. Chegará a sentir que "Ele que dá, ganha mais do que o que recebe". "Se desejais enriquecer, dai".

217

EU SOU O QUE O CRIADOR É. LOGO:
EU SOU A PRESENÇA DA ENERGIA INESGOTÁVEL E INTELIGÊNCIA QUE GOVERNA.

Devemos sempre entender e recordar que o Poder da realização está na Presença do — EU SOU — que é a fonte inesgotável da Vida e Inteligência de todo ser; está em toda parte e que do CORAÇÃO DE DEUS esta Inteligência governa o Universo, atua e dirige toda forma invisível e visível desde o átomo até o Sol.

218

EU SOU O QUE O CRIADOR É. LOGO:
EU SOU A FONTE INFINITA E TODO SER É MEU CANAL.

Nunca devemos sentir medo ou temor de que nos faltem os recursos. — EU SOU — é o Manancial Infinito. O aspirante deve ser um canal puro, aberto, para conduzir e dar a água viva do — EU SOU — que passa e expressa por seu meio, porque Deus é ação permanente.

219

EU SOU O QUE O CRIADOR É. LOGO:
EU SOU A ESPERANÇA E A FÉ QUE CONVERTE O DESEJO EM REALIDADE.

Esta afirmação afasta de nós e dos demais, o medo, as preocupações externas e as limitações. Elimina a covardia, e a Luz da Verdade do — EU SOU — ilumina as trevas da ignorância e da dúvida.

220

EU SOU O QUE O CRIADOR É. LOGO:
EU SOU O TODO EM TUDO. EU ESTOU AQUI. EU ESTOU ALI.

Esta afirmação elimina definitivamente o sentido da separatividade ilusória entre o PAI E O FILHO; desta maneira reinará o regozijo e a alegria porque a mente e o coração sentirão novamente a união na obra do — EU SOU — e assim se manifestarão dentro do equilíbrio central.

221

EU SOU O QUE O CRIADOR É. LOGO:
EU SOU O EQUILÍBRIO EM TODA AÇÃO.

Quando usamos esta invocação antes de empreender qualquer trabalho, nunca fracassamos nem erramos em nossa obra. O que necessitamos é viver o que pensamos e crer vivê-lo efetivamente. Se os resultados tardam em vir, devemos continuar afirmando.

222

EU SOU O QUE CRIADOR É. LOGO:
EU SOU A PRESENÇA QUE VITALIZA ESTA ÁGUA PARA QUE DÊ VIDA E SAÚDE.

É suficinte com esta curta invocação sobre um recipiente dágua para que o líquido alivie e cure toda a dor própria ou alheia.

Há alguns que colocam as mãos, como condutoras do magnetismo positivo, sobre a água, para magnetizá-la ou bendizê-la; declaramos que é bom método, embora não o consideremos imprescindível para a pessoa que chegou a sentir a Presença do — EU SOU.

223

EU SOU O QUE CRIADOR É. LOGO:

EU SOU A PRESENÇA QUE VITALIZA ESTE ALIMENTO PARA QUE NUTRA.

Esta pequena oração consciente e sentida elimina os átomos nefastos destrutores e depura o alimento de suas impurezas, convertendo-o em alimento sadio, vital e proveitoso que satisfaz a toda a necessidade do corpo, veículo do Espírito.

224

EU SOU O QUE CRIADOR É. LOGO:

EU SOU A AÇÃO CONSCIENTE EM TODA PARTE.

EU ESTOU AQUI, EU ESTOU ALI.

Ao receber uma notícia discordante ou ao ler algum fato que possa perturbar a paz e causar a guerra entre os homens, devemos nos dedicar a esta afirmação, com o desejo de que EU SOU A PAZ EM TODO SER, e afirmar a anterior e a seguinte:

225

EU SOU O QUE CRIADOR É. LOGO:

EU SOU A PRESENÇA QUE IMPEDE ISTO. EU SOU O CONTROLE POSITIVO E PACÍFICO DESTA SITUAÇÃO.

Com um pequeno número de seres de boa vontade, que se dedicam a pacificar a mente humana, mas, de uma maneira consciente, incognita e impessoal e a afirmar: EU SOU A PRESENÇA QUE CONTROLA A MENTE DOS HOMENS, este pequeno grupo evitaria as guerras entre as nações. "Todas as coisas são possíveis àquele que crê". A lenda de Sodoma e Gomorra é tão significativa para compará-la com estes casos, quando foi dito: "POR CINCO SERES BONS NÃO DESTRUIREI A CIDADE". Isto quer dizer que estes grupos podem impedir as guerras.

226

EU SOU O QUE CRIADOR É. LOGO:

EU SOU A PRESENÇA QUE CONTROLA E GOVERNA ESTA ASSEMBLÉIA E ESTA SITUAÇÃO.

Em vez de empregar nosso tempo e vida em criticar e denegrir pessoas ou governos que não comungam conosco em ideal, devemos invocar e usar esta afirmação pelo bem geral. O sucesso de uma obra não se consegue com murmurações, senão em invocar a PRESENÇA DIVINA DO — EU SOU — em todos os assistentes, para que sua luz ilumine as mentes e seu amor brote dos corações.

227

EU SOU O QUE CRIADOR É. LOGO:

EU SOU O JUSTO DESEJO NO CORAÇÃO. PEDI E SE VOS DARÁ.

Do grande SILÊNCIO, — EU SOU — derrama seu amor. Deus, o ÍNTIMO, é quem provoca o desejo construtivo e justo em nossos corações, para em seguida dizer-nos: "TUDO o que pedirdes vos será dado". Meditemos nesta divina promessa. Sejamos felizes e demos graças, porque não existem palavras suficientemente expressivas para demonstrar a alegria que podemos sentir com esta afirmação. Sejamos felizes e demos graças.

228

EU SOU O QUE CRIADOR É. LOGO:

EU SOU O PODER ATIVO SOBRE A FORMA EXTERNA. EU SOU A PRESENÇA QUE ELIMINA TODA LIMITAÇÃO.

Muitos aspirantes desejam ter liberdade de ação e se sentem limitados e atados a seus velhos costumes e crenças. Esta afirmação troca todas as coisas negativas em práticas e positivas, paulatinamente, embora a maioria dos aspirantes não se aperceba disto, no princípio.

229

EU SOU O QUE CRIADOR É. LOGO:

EU SOU DEUS, QUE ME REVELO AO HOMEM NO HOMEM E PELO HOMEM.

Esta afirmação tem um poder ingente. Ela nos dá a convicção da Presença do — EU SOU DEUS — em todo ser, e ao mesmo tempo nos outorga o poder sobre nossos sentidos físicos. Se os sentidos físicos acusam frio, com esta afirmação, pensando em calor, o calor invade o corpo; se é o calor, muda em frescura normal; se é tristeza, se torna alegria, tranqüilidade, etc.... Esta invocação demonstra o PODER IMAGINATIVO DO EU SOU QUE FORMA O CORPO, e o modo como seu equilíbrio invade os sentidos ao ser invocado.

230

EU SOU O QUE CRIADOR É. LOGO:

EU SOU A PRESENÇA DA IMAGINAÇÃO QUE GUIA A MENTE FINITA À INFINITA.

A verdade pode ser, somente, sentida sem palavras e não percebida pela visão. O Mestre externo tem por objetivo desenvolver o entendimento do discípulo, para que possa, sozinho, enfrentar a vida com suas condições sem pedir apoio, nem ajuda para resolver seus problemas internos, porque sozinho pode ganhar o próprio domínio consciente sobre o ser e o mundo.

Com a visualização e a imaginação pode-se corrigir todo defeito próprio ou alheio. Não se deve compadecer de ninguém pela pobreza, pelo erro, pelo defeito, senão que se deve afirmar: EU SOU A PRESENÇA DIVINA NA IMAGINAÇÃO DESTE SER, QUE GUIA SUA MENTE PARA O EQUILÍBRIO E A HARMONIA. Esta é a melhor ajuda que o discípulo pode oferecer aos seus e aos demais.

231

EU SOU O QUE CRIADOR É. LOGO:

EU SOU A PRESENÇA QUE ILUMINA, FORTIFICA, VIGORIZA E AJUDA ESTE SER.

Muitos pedem aos Santos e aos Mestres ajuda para resolver seus problemas; porém, a melhor ajuda que o Santo ou o Mestre pode dar é o despertar da iluminação consciente para compreender e seguir as leis da natureza com as quais cada um pode manejar o cetro e ganhar a vitória sobre si mesmo.

Não é mau pedir aos Santos e aos Mestres, mas, devemos compreender que estes Seres elevados e excelsos sofrem muito por nossos pedidos, porque todo pedido tem sua resposta; desta maneira, nossos pedidos se convertem em cargas sobre seus ombros porque são pedidos egoístas. Assim, devemos compreender que o homem deve entrar na plenitude de seus poderes, com o contínuo uso de — EU SOU A PRESENÇA — e desta maneira, caminha para a obtenção de seus anelos diretamente, sem sobrecarregar os ombros alheios.

232

EU SOU O QUE CRIADOR É. LOGO:

EU SOU DEUS EM AÇÃO EM CADA VIDA INDIVIDUALIZADA NO UNIVERSO.

EU SOU A PRESENÇA QUE ELIMINA TODA CRÍTICA, CALÚNIA E JUÍZO FALSO.

O estudante deve-se aperceber que é um poder consciente e controlador de sua vida e mundo, e que pode enchê-los com as qualidades que quiser eleger.

Por este motivo, deve eliminar de sua vida as murmurações, as calúnias, e proteger o próximo dos dardos alheios. O Mago não pode ter medo de coisa alguma, nem de ninguém, e por isto tem o dever de depurar o mundo dos elementos estorvantes e indesejáveis.

233

EU SOU O QUE CRIADOR É. LOGO:

EU SOU A PRESENÇA QUE CONTROLA E EQUILIBRA A RESPIRAÇÃO E O ALENTO.

Aqueles que têm algum embaraço no corpo físico ou certas perturbações respiratórias devem praticar, a miúde, com esta afirmação, os exercícios respiratórios simples e científicos expostos no princípio deste livro. Os exercícios respiratórios bem conduzidos e executados conservam o equilíbrio físico e mental.

234

EU SOU O QUE CRIADOR É. LOGO:

EU SOU A PRESENÇA EM TUDO O QUE FOI, É E SERÁ FEITO.

Esta notável afirmação dá o poder de fazer obras maravilhosas e pode resolver assuntos cuja execução necessitem revelação.

Meditar e contemplar o que é "EU SOU A PRESENÇA EM CADA OBRA", traz revelações e bênçãos que não podem ser explicadas suficientemente.

235

EU SOU O QUE CRIADOR É. LOGO:

EU SOU A PRESENÇA NO SONO QUE REALIZA OS DESEJOS DA CONSCIÊNCIA.

Quando o corpo dorme recebe sempre a ajuda necessária, inconscientemente, para produzir em forma visível tudo o que está concebido e planejado.

Devemos antes de dormir pensar em ajudar o próximo com uma afirmação e ter sempre bons desejos e pensamentos sublimes para que — EU SOU — nos induza com sua ajuda, a realizá-los totalmente.

236

EU SOU O QUE CRIADOR É. LOGO:

EU SOU A PRESENÇA EM TODO DESEJO SUBLIME DO CORAÇÃO. EU SOU O PODER QUE O MANIFESTA.

Todo discípulo deve compreender que "EU SOU" utiliza certos seres que têm qualidade predominante, para o bem da sociedade ou da nação, em determinados momentos ou situações. O discípulo pode ser também eleito como foco desta manifestação, segundo o requeira dele o — EU SOU.

O desejo de sentir e viver a vontade do — EU SOU — é uma faculdade que pode ser usada por todo discípulo e aspirante para seu cultivo. Com a afirmação de "EU SOU A PRESENÇA DIVINA" será manifestada e realizada toda coisa que motivou o desejo no coração. Com a respiração, a aspiração e a concentração consciente no — EU SOU — tudo nos será dado.

237

EU SOU O QUE O CRIADOR É. LOGO:

EU SOU O AMOR EM CUJO REDOR GIRAM TODOS OS UNIVERSOS E OS SERES .

Esta grandiosa afirmação nos conduz à GRANDE VERDADE de que em cada ser humano está a "PRESENÇA EU SOU DEUS". Cada um tem em sua mão o cetro do Poder, do Saber e da Vida com a invencível PRESENÇA DE DEUS em todo momento. Não importa o problema que devemos resolver; — EU SOU — O RESOLVE COMPLETAMENTE por meio de nós outros, como sempre sucede no mundo, porque é a PRESENÇA DE DEUS, e, nenhuma atividade negativa externa pode interferir. SINTA-O ASPIRANTE. SINTA-O DISCÍPULO; tem que senti-lo porque é a verdade, é o princípio da vida, do amor, do saber e do poder. Tem que sentir esta verdade, porque nada acontece na vida sem a expressão do — EU SOU —, por meio dele, de ti ou de mim.

238

EU SOU O QUE O CRIADOR É. LOGO:

EU SOU A PRESENÇA ONIPOTENTE, ONIPRESENTE E ONISCIENTE EM CADA SER.

O aspirante que mantém sua atenção firme em "EU SOU A PRESENÇA DE DEUS EM AÇÃO", se converte em Poder Invencível e em bênção para seus semelhantes. Sua poderosa aura será alívio de toda dor física e psíquica. Sua palavra será o bálsamo dos corações feridos, seu olhar desperta a mente em letargo, para sentir a PRESENÇA DO — EU SOU — naqueles que não o reconhecem e é assim como deve elevar o mundo acima da injustiça, da confusão e da discórdia.

239

EU SOU O QUE O CRIADOR É. LOGO:

EU SOU A LUZ. EU SOU A PERCEPÇÃO DE TODO O OCULTO.

O homem nasce ignorante intelectualmente, porém, tem o dever de aprender e saber tudo. EU SOU O SABER e a mente consciente é o instrumento da manifestação e da realização do saber. A Luz é para todo olho; o olho deve estar são para vê-la.

Muitos perguntarão: Somente com esta afirmação poderemos decifrar todo o Saber? — Sim. A ânsia do saber é a chamada do — EU SOU — NO CORAÇÃO que sempre nos ilumina e ensina. Ninguém pode ensinar nada: o papel do Mestre é despertar o que está adormecido em nosso interior. Quando o discípulo está preparado, vem o Mestre. Isto significa que quando o coração sente a verdadeira necessidade de algo, EU SOU A PRESENÇA guia a mente ao conhecimento e o coração ao sentimento.

240

EU SOU O QUE O CRIADOR É. LOGO:

EU SOU O ACERTO QUE REGE TODA A ATIVIDADE.

Se desejamos ter paz e harmonia, se queremos acertar nossos assuntos, devemos sempre invocar "EU SOU A PRESENÇA" que está sempre pronta para outorgar bênçãos inefáveis e inconcebíveis, bastando somente que nos abramos a ELA. Não há motivos para se vacilar em chamar a "EU SOU" porque é a única energia que atua através de nossa consciência, mente, corpo e mundo. Dizer "EU SOU EM TODAS AS COISAS" é abrirmos ao poder de Deus para atuar com harmonia e perfeição nelas.

241

EU SOU O QUE O CRIADOR É. LOGO:

EU SOU A PRESENÇA DO DESEJO QUE MATERIALIZA TUDO O QUE É BOM E POSITIVO.

Se o discípulo chega a reconhecer o ÍNTIMO DEUS EM SI MESMO, como a substância infinita de tudo o que existe, que motivo terá para duvidar do amor de Deus? Ao contrário, deve saber que EU SOU DEUS EM AÇÃO contraiu conosco uma dívida e em que pagá-la como sempre está fazendo, e, se nós não sabemos recebê-la é devido à nossa ignorância em não saber desejar o que é bom e construtivo.

"EU SOU" não nos pede nada; deseja dar-nos sempre. — EU SOU — em nós, é a força que se sustenta por si mesma, curando, harmonizando e manifestando-se através de nossa mente e corpo.

242

EU SOU O QUE O CRIADOR É. LOGO:

EU SOU A PRESENÇA QUE REALIZA TODO DESEJO.

Depois desta afirmação, devemos acrescentar o que é que desejamos, tomando em conta sempre, que nosso pedido tem que ser justo e são. O pedido pode ser para nós ou para os demais. EU SOU A PRESENÇA ATUANDO para que isto se realize, porque ELE é o Inspirador deste bom desejo.

243

EU SOU O QUE O CRIADOR É. LOGO:

EU SOU A PRESENÇA QUE AMA E GUIA A CADA SER DESENCARNADO EM SEU ESTADO DE ATIVIDADE ATUAL.

É a melhor ajuda que o estudante pode dirigir aos que passaram ao outro estado da vida, que o mundo chama morte. É a melhor oração que uma mente humana pode enviar para o descanso e a paz da alma, que tanto necessita deles.

244

EU SOU O QUE O CRIADOR É. LOGO:

EU SOU A PRESENÇA QUE GOVERNA E MELHORA COM AMOR A SITUAÇÃO.

Cada homem deve consagrar toda sua energia para poder elevar-se acima de tudo o que é incorreto, e estar sempre em união consciente com — EU SOU —, isto é, EM PRESENÇA DE DEUS. Não há nada mais trágico do que o estado de uma pessoa que mantém, permanentemente, idéias de medo, limitação e desconfiança sobre o estado de outro ser ou de uma situação. Um pensamento negativo dirigido a uma pessoa sensitiva, às vezes a limita por anos com resultados trágicos; mas, ai de quem dirige tal pensamento! A afirmação precedente elimina o encanto.

245

EU SOU O QUE O CRIADOR É. LOGO:

EU SOU A PRESENÇA DE PERMANENTE SAÚDE, JUVENTUDE E ILUMINAÇÃO.

A energia do sexo nos foi dada para a geração e a regeneração, mas, não para a degeneração. O abuso é a causa da velhice prematura com todos os seus achaques. O libertino, ao gastar sua energia abre um abismo entre si e a PRESENÇA DO EU SOU e não chegará à realização de grandes coisas na vida.

Por desgraça, os seres humanos não querem entender isto. O DISCÍPULO DEVE COMPREENDER QUE DEUS É CRIADOR ATRAVÉS DELE, POR MEIO DO SEXO, E QUE SE NÃO TIVERA ESTA ENERGIA CRIADORA EM SEU CORPO, SERIA MAIS INFERIOR QUE O BRUTO.

Recomendamos a todos que estão dominados pelo vício do abuso ou do mau uso, dirijam a atenção e o pensamento a — EU SOU — e afirmem constantemente: EU SOU O ÚNICO PODER QUE GOVERNA ESTA ENERGIA E QUE SE REALIZA AGORA MESMO.

Com esta afirmação se acumula uma quantidade de energia, e o que se acumula em uma vida é levado às vidas sucessivas.

246

EU SOU O QUE O CRIADOR É. LOGO:

EU SOU A PRESENÇA ONICRIADORA.

EU SOU A ENERGIA QUE TU USAS EM CADA AÇÃO.

EU SOU A LUZ QUE ILUMINA TUA MENTE E TEU CORAÇÃO.

EU SOU A INTELIGÊNCIA QUE DIRIGE TEUS ESFORÇOS.

EU SOU A SUBSTÂNCIA COM A QUAL REALIZAS TUA BOA VONTADE.

EU SOU A FORÇA DE TEU USO PERFEITO.

EU SOU A LEI JUSTA QUE APLICAS SEMPRE.

EU SOU A VERDADE QUE TE DÁ A LIBERDADE COMPLETA E PERFEITA.

EU SOU A PORTA ABERTA E NINGUÉM PODERÁ FECHÁ-LA.

EU SOU A LUZ QUE TE GUIA.

Escute amigo e companheiro no caminho:

Quer ajudar seu País? Deseja o melhoramento de sua Pátria? Pois, em vez de criticar seu governante, dirige-lhe estas afirmações e ele se converterá em um instrumento dócil em mãos do "EU SOU DEUS EM AÇÃO".

Quer ajudar a seu próximo e livrar-lhe de suas fraquezas e limitações?

Envie-lhes conscientemente e com amor estas petições a "EU SOU A PRESENÇA DE DEUS NELE."

Se em todas as cidades se pudesse formar um grupo para dedicar esforços em prol do bem-estar de seus habitantes, este grupo mudaria a situação do ambiente, porque tudo o que impede o adiantamento de um povo é a ignorância de seus componentes ao exercer o poder de seu Pensamento Criador, em criticar, julgar e predizer resultados funestos.

Seja você, aspirante e discípulo, a primeira semente em seu povo e cidade, que dará algum dia 30 e 60 frutos por um.

247

EU SOU O QUE O CRIADOR É. LOGO:

EU SOU DEUS EM AÇÃO EM CADA HOMEM.

Deve-se pensar que o homem e seu corpo-templo é como um instrumento perfeito, elétrico que recebe e conduz o poder universal de "EU SOU DEUS EM AÇÃO" por meio das ações da própria vida. Devem-se estudar estas afirmações com profundo sentir e consciência.

248

EU SOU O QUE O CRIADOR É. LOGO:

EU SOU A PRESENÇA DA VIDA QUE PURIFICA MINHA CABEÇA (ou TUA CABEÇA).

Porque na cabeça está o Reino do Pai onde há muitas mansões. Porque a cabeça recebe as idéias da MENTE INFINITA e as transmite ao corpo e em seguida ao Universo. Quando se purifica a estação receptora (no cérebro) se fará compreensão correta do Universo e de suas atividades.

249

EU SOU O QUE O CRIADOR É. LOGO:
EU SOU A PRESENÇA DA LUZ QUE PURIFICA TEUS OLHOS.
EU SOU A VOZ SILENTE INTERNA QUE PURIFICA TEU OUVIDO.
EU SOU O VERBO CRIADOR QUE PURIFICA TUA GARGANTA.
EU SOU O AMOR DIVINO QUE PURIFICA TEU CORAÇÃO.
EU SOU A LEI PERFEITA QUE PURIFICA TEU CORPO.
EU SOU O GUIA SUBLIME QUE CONDUZ TEUS PÉS.
EU SOU A VERDADE QUE LIBERTA TUA MENTE.
EU SOU A ONIPRESENÇA QUE PURIFICA TEU ORGANISMO.

Existe uma Lei Infalível que pode outorgar o que se pede por meio destas afirmações e livrar o discípulo de todo temor e tirania da ignorância. Repetir estas afirmações ante um ser querido que esteja enfermo ou amargurado; ante uma fotografia, uma carta ou simplesmente pensando nele, é contribuir para devolver-lhe a saúde, a paz e a felicidade. Onde esteja, faça o que faça e em todo momento, seja você feliz e repita estas afirmações para ajudar o próximo ou a si mesmo. Tudo o que o homem decreta **agora,** torna-se tangível **em seguida**. ESTA É A LEI DE DEUS NO UNIVERSO.

Com as afirmações conscientes, o aspirante assume uma posição própria na vida, receberá a grande herança que aguarda a todo ser que veio ao mundo, sempre que seja o suficientemente bom, prudente e o bastante forte para buscá-la com perseverança. Sempre deve empregá-la em benfício dos demais e nunca para fins próprios e exclusivos.

250

EU SOU O QUE O CRIADOR É. LOGO:
EU SOU A RESSURREIÇÃO E A VIDA.
EU SOU O AMOR QUE RESPALDA TODA ATIVIDADE.

Quanto mais rapidamente entendemos a LEI DE "EU SOU DEUS EM AÇÃO", harmonia em toda mente e sentimento, tanto mais rapidamente se manifestará o domínio e a perfeição em cada um de nós. Sem esta condição não podemos ter adiantamento algum, porque somos os culpados em criar e continuar presos às nossas criações em nossa consciência. Por isto, Jesus disse: "Como o homem pensa em seu coração, assim ele é."

O imperfeito é criação humana. Deus não cria algo imperfeito e destrutivo.

É urgente estudar nossa mente, vigiando nossas crenças negativas para varrer as velhas e impedir a entrada de novas.

Os que são mentalmente preguiçosos atribuem a Deus ou ao demônio seus fracassos. A LEI não faz diferença entre os que crêem ou não crêem, ou entre os que a aceitam ou não.

Quanto mais invocamos a PRESENÇA — EU SOU — para que governe com harmonia nossas ações, mais sentimos essa perfeição que tanto desejamos.

251

EU SOU O QUE O CRIADOR É. LOGO:

EU SOU A LEI DO AMOR NO PENSAR, NO SENTIR E NO FAZER.

EU SOU O PODER EM AÇÃO E COM TODA PERFEIÇÃO.

Temos sempre que atender a esta grande LEI: "TUDO O QUE O HOMEM PENSA EM SEU CORAÇÃO, ASSIM SE MANIFESTARÁ EM SEU CORPO E CIRCUNSTÂNCIAS."

Ao compreender isto, já podemos sentir que o Amor profundo e sincero para com os outros é a maior das bênçãos e o mais ingente Poder que eleva. O Amor é a medida do discípulo para determinar que classe de atividade é a que está atuando nele. Se se sente crítico, invejoso ou em antipatia para com outra pessoa, é porque o eu inferior está atuando com mais liberdade e, portanto, deve freiá-lo, sentir e afirmar: EU SOU A PERFEIÇÃO NESTE SER. Nunca deve sentir-se ciumento pelo progresso dos outros ou pensar que pode usar a Lei melhor do que outra pessoa, porque isto significa que o "eu" inferior continua dominando e pede separatividade. Todo o esforço deve ser canalizado para saber que: "EU SOU A PRESENÇA DE DEUS EM AÇÃO AQUI, ALI E EM TODAS AS COISAS".

Estas duas afirmações eliminam todo o antagonismo que possa existir em nós. Para evitar a **má sorte** é preciso pensar e desejar a felicidade e o bem-estar do próximo. Todo pensamento emitido pelo homem segue flutuando em sua própria atmosfera mental até que receba os sentimento do mesmo emissor para sua completa expressão. Tudo o que nos sucede é o fruto de nossos pensamentos animados pelos nossos sentimentos.

252

EU SOU O QUE O CRIADOR É. LOGO:
EU SOU A PERFEIÇÃO EM TODAS AS PARTES.
EU SOU O PODER ILIMITADO EM TODA COISA.

Quando o aspirante fecha os olhos e vê a perfeição em todas as partes, obterá cada vez mais provas inequívocas das maravilhas do — EU SOU — e sentirá o poder da LUZ INEFÁVEL EM SI MESMO.

Pensar e repetir estas afirmações é manifestá-las rapidamente, e assim, o que o homem quer manifestar, deve primeiramente manter na mente o pensamento da coisa desejada, e em seguida afirmá-lo com palavras. Desta maneira é necessário estar em guarda ante a porta de nossa mente para não permitir que entrem pensamentos negativos, próprios ou alheios, e nem sentimentos que não queremos que se manifestem.

A melhor maneira de evitar estes pensamentos é usar as afirmações em proveito do próximo e manter o coração cheio de idéias e ideais altruístas para ajudar o mundo. Enquanto a mente e o coração estão cheios com as afirmações, pensamentos e sentimentos construtivos, fogem deles o temor, a dúvida, a enfermidade, a pobreza, a ansiedade e tudo o que é destrutivo. Os pensamentos divinos afastam os pensamentos negativos.

253

EU SOU O QUE O CRIADOR É. LOGO:
EU SOU A CHAMA.
EU SOU A LUZ INEFÁVEL QUE ANIMA E EMANA O PODER DIVINO EM TI.

A CHAMA consome toda a negação e separatividade, toda pobreza e ansiedade. A LUZ INEFÁVEL ilumina a mente própria e alheia ao ser evocada.

"Sentir fundo, pensar alto e falar claro", usando as evocações é o único caminho. Quando visualisamos um necessitado para abençoá-lo com estas afirmações, encendemos nele a CHAMA DIVINA DE — EU SOU — que automaticamente se converte em couraça de proteção e a luz registra em sua consciência a qualidade que se lhe deseja e envia.

254

EU SOU O QUE O CRIADOR É. LOGO:
EU SOU ELE, ELE É EU. EU SOU O QUE DESEJO SER.

Já temos repetido várias vezes — EU SOU O QUE O CRIADOR É. Já devemos ter chegado a abrir a porta do Reino com esta chave mágica.

Isto significou e significa que "EU E O PAI SOMOS UM, e que tenho que entregar-me por inteiro a esta UNIÃO para ter pensamentos divinos, falar o que por meio do VERBO deve manifestar-se e não permitir em minha mente outros pensamentos que não sejam divinos.

Não se deve dar muita importância ao tempo; a manifestação depende de nossa convicção e sentimento de nossa Divindade.

Quando damos a oportunidade para que — EU SOU — governe e controle todo o processo do pensamento e que a mente consciente confie NELE e descanse NELE, mantendo-se limpa e vazia de todo pensamento falso, então — EU SOU — retirará de nossa consciência atual o que impede nosso progresso, levando-nos à plenitude da paz e harmonia com abundância e poder, e assim, a PERFEIÇÃO DE CRISTO se manifesta tal como o discípulo deseja.

Sejamos agentes da vontade do — EU SOU — DEUS EM AÇÃO. Nosso dever em cada afirmação consiste em sentir e crer que quando dizemos — EU SOU —, pomos Deus em Ação e que nossa personalidade se converte em canal do PAI EM NÓS, Nunca, jamais, devemos pronunciar — EU SOU — para afirmar algo negativo.

255

EU SOU O QUE O CRIADOR É. LOGO:
EU SOU A PODEROSA PRESENÇA DE PERFEIÇÃO, HARMONIA, AMOR E PODER QUE ATUA SILENCIOSAMENTE EM CADA SER.

Isto significa que desde este momento, devemos limpar nossas mentes de todo pensamento discordante cristalizado pelos nossos temores e ansiedades. Este é o ponto mais álgido e difícil para os homens que buscam a Senda e têm que matar seus irmãos e primos, como ensina o "BAGAVAD GITA ou o CANTO DO SENHOR". Matar um costume em nós é nos desprender de uma parte em nós. Eliminar o que cremos é como começar a trocar nossas crenças por aquilo que realmente queremos que se manifeste.

A glória, o orgulho e a vanglória são os que dominam as mentes, e quando queremos ajudar nosso próximo, desejamos que todo o mundo saiba que fomos e somos salvadores.

Todos pedimos e buscamos, como disse Jesus, "os primeiros postos nos banquetes e que sejamos glorificados por todos." Por isto foi dito que de um milhão de aspirantes, somente três podem resistir à tentação e chegar a adeptos. O orgulho é a desgraça do aspirante e "quão difícil é fazer um bem sem olhar a quem", e mais difícil ainda é ajudar ao inimigo de uma maneira oculta e impessoal.

Desde agora devemos compreender que se seguimos este caminho para adquirir fama, glória e respeito humano, é preferível abandoná-lo.

É preferível ser ignorante que ser néscio, porque o orgulho em espiritualismo converte o homem em néscio, e a nescidade é uma doença incurável.

256

EU SOU O QUE O CRIADOR É. LOGO:

EU SOU A PRESENÇA QUE BENDIZ A TODO SER.

EU SOU O AMOR EM TODO SER.

É a única maneira de trocarmos as coisas que nos rodeiam. Arrancar o negativo dizendo a nós mesmos o seguinte: DEUS É PERFEIÇÃO E ELE NOS AMA, VELA POR NÓS E NOS DARÁ TUDO QUANTO NECESSITARMOS EM CADA MOMENTO E LUGAR. EU SOU O QUE O CRIADOR É. EU SOU ELE. ELE É EU. EU SOU DEUS EM AÇÃO EM MEUS PENSAMENTOS CONSTRUTIVOS POR MEIO DOS DESEJOS E PALAVRAS.

Sentindo e vivendo estas afirmações em nossos trabalhos, com o estado de ânimo alegre e consciente, nossa vida irá se enchendo com a plenitude da bênção de "EU SOU A PRESENÇA".

Esta afirmação dirigida a todos os seres, dá ao aspirante a sensação de que a bênção divina banha a todos os seres e traz ao ambiente uma realização assombrosa. Quando vem um impulso de realizar algo, deve-se afirmá-lo e selá-lo com: "EU SOU A BÊNÇÃO DESTE IMPULSO". Isto deixará todo ato respaldado pela poderosa LEI.

Desta forma, tratemos de pensar os pensamentos emanados do ÍNTIMO EU SOU, porque assim abrimos a mente para receber seu fluido que nos conduz ao êxito, à saúde, à felicidade e à harmonia em nossa vida.

257

EU SOU O QUE O CRIADOR É. LOGO:
EU SOU A MANIFESTAÇÃO PERFEITA DE CADA HOMEM.

O homem deve estar seguro de que seu desejo é o que — EU SOU — quer que seja manifestado, isto é, bom, construtivo, altruísta. O mais trágico é limitar um ser humano, dirigindo-lhe pensamentos de imperfeição. Devemos dar conta destes pensamentos. Sempre ao pensar em nosso próximo devemos saber que — EU SOU — o emprega para certos fins ignorados por nós, e por tal razão age nele com manifestação perfeita, e que não compete julgá-lo.

Se queremos que — EU SOU — manifeste através de nós, devemos visualizar um quadro bom em nossa mente, com todos os seus detalhes nítidos, e depois determinar sua manifestação e sua exteriorização por meio da afirmação.

Toda limitação nos vem por nosso decreto no plano mental, quando impedimos a manifestação e expressão de — EU SOU DEUS EM AÇÃO.

258

EU SOU O QUE O CRIADOR É. LOGO:
EU SOU A PRESENÇA PERFEITA EM TODA AÇÃO DE TODO SER.

O mais importante é ser positivo no pensamento, nas palavras e nos atos. Cada mente negativa recebe como no rádio receptor toda onda negativa com a qual está sintonizada.

O homem positivo é sempre o centro da atração no meio de uma multidão de pessoas comuns. A alma positiva marcha sempre adiante.

Quando chegamos a sentir que EU SOU A PRESENÇA PERFEITA EM AÇÃO e submergir nossa mente NELE, então saberemos que tudo que ELE possui é nosso, porque sendo —EU SOU O PODER E A AÇÃO PERFEITA — que atua através de nós, não pode existir a imperfeição senão em nossa ignorância e egoísmo que nos conduzem a desobedecer à grande LEI. Temos dito e repetimos que o homem é o criador de seu mundo e tal como pensa em seu coração assim será seu mundo. Sem embargo, apesar de sua ignorância e sua desobediência, — EU SOU — segue atuando com toda perfeição em seus sete sistemas até o último momento em que o instrumento ou o corpo deixa de servir ao Espírito.

259

EU SOU O QUE O CRIADOR É. LOGO:

EU SOU A FONTE DE TODA ABUNDÂNCIA E DE TODA FORTUNA.

Temos que eliminar de nossa mente todo medo e temor de gastar dinheiro quando necessário gastá-lo. Já foi dito no SERMÃO DA MONTANHA, e repetido várias vezes: "Portanto vos digo: não vos inquieteis em vossa vida pelo que haveis de comer ou beber, nem pelo vosso corpo pelo que haveis de vestir; não é a vida mais do que o alimento e o corpo mais do que a roupa? Olhai as aves do céu, que não semeiam nem ceifam e não acumulam nos celeiros, e nosso Pai Celestial as alimenta. Não valeis vós muito mais do que elas?" "Contemplai os lírios do campo como crescem; não tecem nem fiam, mas, vos digo que nem Salomão com toda sua glória se vestiu como um deles." "E se a erva do campo que hoje existe e amanhã é lançada ao forno Deus a veste assim, não fará muito mais por vós, homens de pouca fé?"

Jesus quis dar aos homens a GRANDE LEI do otimismo e da fé. O homem que tem medo da pobreza vive sempre na pobreza, embora possua milhões. Em seguida, continua:

"Assim, não andeis ansiosos dizendo: Que havemos de comer? ou: Que havemos de beber? ou: Com que nos havemos de vestir?" Porque os gentios é que buscam todas essas coisas; e vosso Pai Celestial sabe que precisais de todas elas. "Mas, buscai primeiramente o REINO DE DEUS e a sua justiça, e todas essas coisas vos serão acrescentadas."

O Reino de Deus é o Amor, a Consciência Divina, a Paz, a Esperança e a Caridade, e com estes dons temos toda a herança do Pai. O Amor, o Saber e a Fé são as portas que conduzem a toda abundância e a todo dom celestial.

Quem quiser que a fonte do dinheiro esteja sempre fluindo, não deve colocar barreira à fonte, porque o dinheiro é, em seu verdadeiro sentido, o meio da perfeição, como o sangue é o meio da expressão perfeita da saúde física.

Economizar com avareza e guardar com privações, temendo que não possa obter mais, é colocar barreiras à fonte. Dar é abrir o canal que provê espiritual e materialmente. "EU SOU A FONTE DE TODA ABUNDÂNCIA"; por isto, por que devemos ter medo? Ter medo é desconfiar do poder divino.

Devemos adquirir o hábito de crer e ter fé, para eliminar de nossa mente os velhos costumes que tacham o homem e o mundo de imperfeitos. Será sempre imperfeito aquele que não quer ser perfeito. "Sede perfeitos como vosso Pai Celestial é Perfeito", ensinou Jesus, e isto quer dizer que o homem pode sê-lo quando segue o caminho da perfeição que consiste em ter consciência de — "EU SOU DEUS EM AÇÃO. EU SOU ABUNDÂNCIA."

260

EU SOU O QUE O CRIADOR É. LOGO:

EU SOU TUDO E ESTOU EM TUDO. EU ESTOU AQUI, EU ESTOU ALI.

EU SOU A LUZ QUE ILUMINA A TODO HOMEM QUE VEM A ESTE MUNDO.

Estas afirmações são as primeiras sementes frutíferas semeadas no coração da humanidade. Esta LUZ deve ser o raio do "EU SOU TUDO E ESTOU EM TUDO" e está fazendo com que a mente seja consciente da divina fonte que reside no INTERIOR.

Se Deus " EU SOU" é tudo e está em tudo, então não podem existir o mal, o erro, a limitação e o engano; todas essas desarmonias, enfermidades e sofrimentos são invenções e produto das mentes que se sentem separadas da GRANDE CONSCIÊNCIA QUE É TUDO E ESTÁ EM TUDO. Todas essas aberrações são quadros criados pela mente pessoal, e o primeiro dever do aspirante é livrar-se das falsas crenças de sua mente objetiva.

261

EU SOU O QUE O CRIADOR É. LOGO:

EU SOU A PERFEIÇÃO, EU SOU O AMOR, EU SOU O BEM-ESTAR, EU SOU O PODER.

Qualquer coisa inferior não é — EU SOU — nem provém do — EU SOU — Esta convicção elimina de nós e dos demais o medo e o temor, e realiza o milagre que por meio do Amor manifesta a perfeição no mundo.

Enquanto pensarmos mal de alguém não podemos ter nenhum progresso espiritual, porque o pensamento negativo nos ata ao erro e impede nosso adiantamento.

Então, todas as coisas desarmônicas e desagradáveis, todas as coisas que não tenham todo o bom e perfeito, são assim, porque nós, por ignorância, as temos pensado e urdido assim.

262

EU SOU O QUE O CRIADOR É. LOGO:

EU SOU TU, TU ÉS EU.

Deus é o verdadeiro — EU SOU — em todo ser que pode dizer — EU SOU — mas, de uma maneira consciente e sentindo o que diz.

Se Deus é tudo e está em tudo, então deve ser o — EU SOU — que anima, vivifica e ilumina nosso ser em seus três mundos: físico. anímico e mental. "ELE É: NELE VIVEMOS, NOS MOVEMOS E TEMOS O SER".

EU SOU DEUS EM AÇÃO EM CADA SER QUE VEM A ESTE MUNDO. Desde o plano chamado espiritual até o físico e em cada plano se expressa por uma mente adequada a suas vibrações. No plano espiritual — EU SOU — se expressa por meio de sua mente divina; no plano anímico ou vida, por meio da alma como consciência anímica; no plano físico por meio da mente objetiva, pessoal, como consciência mortal.

Quando o homem conhece-se a si mesmo, isto é, quando chega a saber que ele não é uma coisa de carne e de sangue, senão que é um centro de consciência, coberta com vestimenta de carne, e que este centro de consciência é alma que veste ao "EU SOU" (— CRISTO, COM O ESPÍRITO SANTO OU CONSCIÊNCIA DIVINA —) então o homem começará a conhecer a Deus e compreender que DEUS

ESTÁ NELE E ELE ESTÁ EM DEUS, e sentirá o significado destas palavras: "EU SOU TU, TU ÉS EU".

263

EU SOU O QUE O CRIADOR É. LOGO:

EU SOU A PRESENÇA QUE REALIZA COM PERFEIÇÃO ESTE DESEJO.

EU SOU A PRESENÇA DO PROGRESSO, DA FORTUNA E DA ABUNDÂNCIA NESTE MOMENTO E EM TODA A PARTE.

Devemos usar sempre a imaginação e a visualização em cada afirmação. O desejo construtivo é Deus em Ação; a visualização é o princípio da criação ou da realização. Assim, devemos saber que depois da compreensão vem a resolução. Nunca devemos perder o entusiasmo porque somos e nos constituímos como progenitores da Nova Era. Somos por obrigação os líderes e Salvadores da raça humana e não podemos voltar atrás.

A afirmação precedente nos ensina e obriga a gastar nosso dinheiro sem temor nem medo, quando com nosso dinheiro podemos fazer o bem. Não devemos ter medo do Deus MAMOM quando nos queira escravizar. "EU SOU A FORTUNA E A ABUNDÂNCIA INESGOTÁVEIS". Como podemos ter medo da pobreza, da miséria e da estreiteza desde que tratemos de nos elevar à categoria de deuses? Como nos pode assustar um problema terreno tão mesquinho?

Devemos meditar constantemente nisto, porque o dinheiro tem sido a causa de muitos erros e limitações.

Se cremos que "EU SOU DEUS" vestido de alma e corpo para sua completa e perfeita expressão, então devemos deixar que ele realize a seu modo e que SUA VONTADE seja feita nesta alma e corpo. Se "EU SOU A FONTE DE TODA ABUNDÂNCIA E PROGRESSO, COMO PODE A MENTE CARNAL CRER QUE — EU SOU — VAI ABANDONAR SEU CORPO E VESTIDURA E DEIXÁ-LOS EXPOSTOS À MISÉRIA E À FOME?" Os que sofrem fome e miséria são aqueles que as visualizaram e não tiveram nunca fé em "EU SOU A ABUNDÂNCIA".

264

EU SOU O QUE O CRIADOR É. LOGO:

EU SOU A REALIZAÇÃO PERFEITA DE TODO DESEJO CONSCIENTE, POSITIVO E CONSTRUTIVO.

Não nos devemos impacientar. — EU SOU — sabe o que necessitamos e sabe o que de perfeito vai executar e fazer no eu externo enquanto realiza o desejo pedido.

265

EU SOU O QUE O CRIADOR É. LOGO:

EU SOU A PRESENÇA NO ALENTO DA VIDA.

EU SOU A RESPIRAÇÃO QUE VITALIZA O SANGUE.

Em verdade, a respiração se realiza sem o controle nem o consentimento do eu externo: É OBRA DO — EU SOU —. O eu externo com sua mente objetiva deve meditar nesta maravilha e tratar de ajudar a respiração completa, perfeita e pura, para os fins do — EU SOU — no corpo. A respiração perfeita depura o sangue do gás carbônico, e o sangue se distribui nos muitos milhões de pequenas células com todas as propriedades necessárias para conservar a vida saudável.

266

EU SOU O QUE O CRIADOR É. LOGO:

EU SOU A FELICIDADE NA MENTE. EU SOU A PAZ NO CORAÇÃO. EU SOU A PRESENÇA DO CRISTO EM TODO SER.

Esta afirmação dirigida ao próximo que está em apuros, o fará sentir imediatamente essa perfeita calma e paz em sua mente e coração. Devemos insistir sobre este ponto importantíssimo: "Tudo o que fizerdes em bem destes meus pequenos irmãos, por Mim estais fazendo". Os pequenos irmãos de CRISTO são aqueles que sofrem e choram por ignorância ou por injustiça feita a eles; e o aspirante ao divino, deve atender a seus pequenos irmãos, antes de pensar em si mesmo, e assim "EU SOU CRISTO" manifesta seu amor em seus pequenos.

267

EU SOU O QUE O CRIADOR É. LOGO:
EU SOU O AMOR E O ACERTO EM TODAS AS EXPRESSÕES.

Não nos cansamos de repetir que "EU SOU A PERFEIÇÃO" não pode criar ou expressar algo imperfeito. O corpo que é a obra mais maravilhosa do Íntimo — EU SOU — é a mais perfeita, é en fim divina. A mente objetiva que lhe agrada gratificar seus erros, excede em seus mimos e erros e assim produz a dor e a desdita que necessita de remédios infalíveis para recuperar a saúde e o acerto.

O que se deve fazer é repetir as afirmações conscientemente e meditar nas palavras seguintes: — EU SOU — DEUS nos ama, vela por nós e nos dá tudo quanto necessitamos em todo momento. Devo aquietar meus sentidos para ouvir Sua voz e cumprir Sua vontade.

Devemos viver a afirmação com amor, sentimento e atitude, e compreender que tudo quanto nos tem sucedido na vida tem sido bom e útil, porque graças a estas experiências temos chegado a praticar conscientemente o que estamos executando nestes momentos para sentir: "EU SOU O QUE O CRIADOR É".

268

EU SOU O QUE O CRIADOR É. LOGO:
EU SOU A VIDA ETERNA, NO CORPO E SEM ELE.

A morte não existe. Devemo-nos impregnar deste pensamento.

"EU SOU A VIDA AQUI E ALI. EU SOU A RESSURREIÇÃO E A VIDA". O que chamamos de morte é uma espécie de banho e mudar de roupa. Ninguém pode vir à existência física se não tiver existido antes, e ninguém se transforma se não teve forma. A morte é a transformação externa, porém o homem conserva a consciência interna que é um atributo do — EU SOU.

269

EU SOU O QUE O CRIADOR É. LOGO:
EU SOU A FÉ, EU SOU A ESPERANÇA. EU SOU A CARIDADE.

A Fé é o poder vitorioso que amana do — EU SOU —. A Esperança é a porta aberta que ninguém pode fechar e que nos conduz à PRESENÇA divina. A Caridade é a perfeição que varre todo o sentir, o pensar e o agir mal.

Devemos vigiar nossa mente objetiva e ir em seus recantos para limpar dela os resíduos da dúvida, do desespero, do egoísmo e nos tornarmos tranqüilos, flexíveis e valentes ante todo contra tempo.

O discípulo deve saber que estes princípios eo utros mais, não são somente simples qualidades, e sim anjos e seres de luz. A FÉ é um anjo de luz que reside na glândula pineal; a ESPERANÇA é outro princípio de luz nas glândulas sexuais; a CARIDADE, no timo, atrás do coração. Repetir estas afirmações é chamar os três seres de luz para expressar-se na mente e no coração do homem.

270

EU SOU O QUE O CRIADOR É. LOGO:
EU SOU A PRESENÇA PODEROSA DA FÉ EM TI.

Dirija esta afirmação à glândula pineal no centro do cérebro, com a aspiração de sentir que "EU SOU A DIVINDADE ATIVA EM TODA PARTE E EM TODO ÓRGÃO", e adquirirás esse poder que move as montanhas da dúvida e elimina as barreiras infranqueáveis pela mente objetiva. Todos sabemos que onde vai o pensamento, ali corre o sangue, e como o sangue é o veículo do — EU SOU — ele leva nossa aspiração e o alento divino ao lugar designado. O aspirante deve desenvolver este centro com outros mais que tem em seu corpo, por meio da aspiração, da respiração e da afirmação consciente.

271

EU SOU O QUE O CRIADOR É. LOGO:
EU SOU A PRESENÇA MAJESTOSA DA ESPERANÇA EM TI.

O discípulo que venera e santifica a energia criadora sexual, nunca pode cair no desalento. Esta ENERGIA É A FONTE DE TODA ESPERANÇA, FÉ E CARIDADE. Só o impotente é desanimado, incrédulo e cruel. O discípulo deve praticar esta afirmação com as devidas aspiração e respiração completas, e a esperança brotará como uma fonte de seu coração e de sua mente para salvar a humanidade. Dirijamos nossa convicção e asseveração a uma criatura desesperada por sua situação, e a salvaremos infalivelmente. Feliz é o ser que se dedica a estas obras sem que ninguém saiba do seu trabalho, porque assim rapidamente chegará à estatura do Cristo, e poderá dizer com toda Fé e convicção: "EU SOU DEUS EM AÇÃO. EU SOU ELE. ELE É EU."

272

EU SOU O QUE O CRIADOR É. LOGO:
EU SOU A CARIDADE EM TI.

A caridade e o amor estão no coração. Quando o estudante se esquece de si mesmo, obterá uma abundância permanente de benefícios para o progresso do mundo e de seu mundo. Todo esforço em nome do — EU SOU — levará sempre adiante até que se chegue à realização do domínio completo.

273

EU SOU O QUE O CRIADOR É. LOGO:
EU SOU A FORTALEZA EM TI.

A Fortaleza se manifesta pelo anjo atômico do — EU SOU — nas glândulas supra-renais. Com a afirmação, aspiração e concentração, estas glândulas se põem em movimento e realizam a ação completa da fortaleza e seus derivados como o vigor, a energia e a resistência. Estas afirmações são o agente que alivia e cura as enfermidades psíquicas e físicas, em presença e à distância. Basta dirigir o pensamento ao lugar designado para fortificá-lo.

274

EU SOU O QUE O CRIADOR É. LOGO:
EU SOU O ACERTO EM TI.

Dirigir a afirmação ao plexo solar e pâncreas, e o anjo atômico do acerto ativa mais e mais seus movimentos quando por meio do sangue recebe a ordem do — EU SOU — O acerto desperta com ele a justiça e a eqüidade na apreciação dos fatos e dos homens.

275

EU SOU O QUE O CRIADOR É. LOGO:
EU SOU O PODER EM TI.

O homem manifesta seu poder por meio do verbo. O anjo que manifesta este poder se encontra na raiz da língua, esperando a ordem do — EU SOU — enviada com o pensamento, por meio do sangue, para ativar e multiplicar sua força. AFIRMAR, respirar e concentrar nas glândulas tiróides induz o centro do verbo a ser ativo, e a palavra do discípulo será lei.

276

EU SOU O QUE O CRIADOR É. LOGO:
EU SOU A IMAGINAÇÃO CONSTRUTIVA (EM TI).

A imaginação é a base da criação. O anjo da imaginação reside na glândula pituitária, esperando as ordens de Deus **Íntimo** para criar por meio da imaginação e visualização, e assim o poder será expressado pelo VERBO.

277

EU SOU O QUE O CRIADOR É. LOGO:
EU SOU A DIVINA SABEDORIA (EM TI).

A sabedoria com seu anjo estão no centro frontal direito. Por meio da aspiração, respiração e concentração o discípulo pode chegar a ter em suas mãos a chave dos mistérios e símbolos. Com a sabedoria pode ter uma poderosa vontade para manejar as circunstâncias e elevá-las com acerto a um estado de ação construtiva.

278

EU SOU O QUE O CRIADOR É. LOGO:
EU SOU A PODEROSA E SÁBIA VONTADE (EM TI).

Todas estas afirmações têm suas chaves no corpo humano. A vontade radica com seu anjo atômico no centro frontal esquerdo. O discípulo deve enviar o sangue a este centro por meio da afirmação, respiração e concentração. O sangue obedece ao pensamento próprio e alheio, porque seus anjos atômicos são inteligências que obedecem à vontade do homem; mas, ai de quem os emprega para causar o mal e a destruição!

279

EU SOU O QUE O CRIADOR É. LOGO:
EU SOU A ORDEM, A HARMONIA, A PAZ E O GOZO (EM TI).

A harmonia está no centro esplênico e radica atrás do umbigo. É necessário seu desenvolvimento como dos outros, e desta mesma maneira sempre tendo diante de nós o bem-estar do próximo.

280

EU SOU O QUE O CRIADOR É. LOGO:
EU SOU O FOGO CRIADOR QUE ELIMINA O INDESEJÁVEL (EM TI).

Este fogo sagrado é o do sexo que radica no plexo sacro. Por este fogo o homem se converte em criador, e tudo o que se deve criar é preciso que seja sublime e divino.

281

EU SOU O QUE O CRIADOR É. LOGO:
EU SOU A PRESENÇA DO ZELO E DO ENTUSIASMO (EM TI).

Esta faculdade ou anjo do — EU SOU — mora no cerebelo. Quando o discípulo desenvolve as doze faculdades do Deus Íntimo nele, sentirá a ressurreição do Cristo em seu coração simbolizado pela segunda vinda do Cristo, e deste modo regenera a subconsciência e a consciência, e gera a SUPERCONSCIÊNCIA que acompanha e manifesta a segunda vinda do Cristo.

282

EU SOU O QUE O CRIADOR É. LOGO:
EU SOU A FONTE DO AMOR DA QUAL BEBE TODO SER.

AQUELES QUE TÊM DISTÚRBIOS EM SEUS LARES, ou os vê nos alheios, devem usar esta afirmação para conseguir um ambiente tranqüilo, amoroso e harmonioso no lar; tarde ou cedo o efeito tornar-se-á seguro.

283

EU SOU O QUE O CRIADOR É. LOGO:
EU SOU A PRESENÇA QUE GOVERNA E CONTROLA A CONSCIÊNCIA, A MENTE E O CORPO.

Cada ser deve pedir que — EU SOU — governe e controle seu corpo para não sentir desmaio físico ou mental em suas tarefas. A energia infinita está sempre presente esperando ser usada sob um governo consciente. Este é o único meio para o domínio próprio. O desejo inconsciente é uma ação indireta, de pouco poder; mas, o desejo sustentado pela atenção ou concentração se converte em avassaladora manifestação. Deve-se sempre ter o uso consciente da energia eterna do — EU SOU — com alegria e gozo, para pôr a Lei Divina em ação.

284

EU SOU O QUE O CRIADOR É. LOGO:
EU SOU A PRESENÇA DO FOGO CRIADOR ACESO NO PLEXO BÁSICO.

Com a pureza de pensamento, a aspiração e a respiração, este método seguro e isento de todo perigo desenvolve o centro fundamental que influi sobre todo o organismo: dá fortaleza, vigoriza o ânimo, anima o entusiasmo, estimula o sistema nervoso e outorga a resistência, o esforço e a constância.

O desenvolvimento deste centro proporciona o domínio sobre os elementos da terra.

285

EU SOU O QUE O CRIADOR É. LOGO:

EU SOU A PRESENÇA DO FOGO DIVINO ELEVADO AO CENTRO ESPLÊNICO.

Este plexo se acha perto do umbigo mais acima do que o anterior. Sua atividade manifesta o poder do — EU SOU —; dá saúde e crescimento; exerce influência equilibradora no **sistema nervoso** e na **temperatura normal** do organismo.

Seus atributos são: o conselho, a justiça e a caridade. Regula o processo vital e elabora na mente as idéias sãs; produz abundância, saúde e bem-estar físico e moral. O desenvolvimento vem lentamente, mas, seguro, que permite a comunicação com seres que pertencem a mundos superiores e constrói uma garantia contra o erro e a instabilidade. A saúde do **corpo,** da **alma** e da **mente** é uma condição primordial que se obtém pelo desenvolvimento deste centro cujo poder domina os **elementos da água**.

286

EU SOU O QUE O CRIADOR É. LOGO:

EU SOU A PRESENÇA DO FOGO DIVINO ELEVADO AO PLEXO SOLAR.

Este plexo é uma gema luminosa que se encontra na região lumbar. Quando o fogo do — EU SOU — chega a este centro, desperta a prudência, ilumina as faculdades do homem e seu talento; clareia a mente e dá cordura, e assim o homem poderá ver a forma do pensamento e até ler estes pensamentos.

287

EU SOU O QUE O CRIADOR É. LOGO:

EU SOU O FOGO DO AMOR NO CENTRO CARDÍACO.

Com esta afirmação o fogo divino do amor invade o plexo do coração, lugar do som sem pulsação; é o assento da vida física individual. Nele se colhe o fruto da árvore da vida. Com o desenvolvimento deste centro — EU SOU — manifesta seu poder. Fisicamente estimula o processo da nutrição, a vitalidade e a atividade mental por sua influência no cérebro; tonifica o sistema glandular e ativa as secreções internas.

Espiritualmente outorga a sabedoria, e o iniciado chega a perceber e identificar as coisas por suas próprias qualidades. Outorga a concentração, a estabilidade, a perseverança, a paciência, a fé, a confiança, o equilíbrio mental ante a ventura e a desgraça, e impera sobre os elementos do ar.

288

EU SOU O QUE O CRIADOR É. LOGO:
EU SOU O FOGO E A LUZ NO CENTRO LARÍNGEO.

O desenvolvimento deste centro outorga o poder do verbo e sua manifestação no físico. É a porta da liberação. Domina os elementos do éter que abrem a porta do Éden. Influi sobre o líquido raquideano, estimula a combustão e age no sistema simpático; por ele se chegam a descobrir os mistérios e as ciências ocultas.

Dá o entendimento, a esperança e a generosidade. Seu desenvolvimento manifesta as faculdades latentes: o lógico, a resolução, a veracidade no falar, o agir corretamente, a harmonia no viver, o esforço para a superação, o proveito da experiência e o poder de ouvir a voz interna.

289

EU SOU O QUE O CRIADOR É. LOGO:
EU SOU A LUZ NO CENTRO FRONTAL.

Manifesta-se no entrecenho; dá energia, desperta a inteligência, o discernimento e a clarividência. A Luz Inefável nele produz o respeito, a temperança e a abstinência. O ser pensante, que manifesta por ele,desperta ideais de dignididade, grandeza, veneração, sentimentos delicados e outorga o domínio do espírito sobre a matéria.

290

EU SOU O QUE O CRIADOR É. LOGO:
EU SOU A LUZ EM TEU CENTRO CORONÁRIO.

Neste centro se manifesta amplamente — EU SOU DEUS — EM AÇÃO.

291

EU SOU O QUE O CRIADOR É. LOGO:

EU SOU O DADOR DE VIDA. EU SOU A PRESENÇA NO DESTINO DE CADA SER.

O discípulo deve aprender que a prática da adivinhação por meio da Astrologia, Quiromancia, Cartomancia, etc.... é a maior fraude que existe em nossos tempos. Poderão servir em algo para estudar o caráter do homem, mas, nunca, jamais, para adivinhar ou indicar um destino. Com — EU SOU — A PRESENÇA, o discípulo pode ser o passado e o futuro, se o desejar, mas, não com os métodos infantis da Astrologia, Numerologia e outros "gias" e "ismos". Todas estas ciências foram praticadas antigamente, para o estudo e o melhoramento do caráter e nada mais, porque — EU SOU — dentro do homem escapa à compreensão humana e ELE É O CAMINHO, A PORTA E A VERDADE.

292

EU SOU O QUE O CRIADOR É. LOGO:

EU SOU A ÚNICA VERDADE QUE PREVALECE NO DESTINO.

Não existe estrela, nem astro, nem aspecto adverso que possa influir no discípulo que afirma e declara conscientemente: — EU SOU A VERDADE — porque basta esta afirmação para varrer com toda condição externa. ("Não podeis servir a dois senhores"); não podemos afirmar EU SOU O QUE O CRIADOR É, e logo crer que existe um aspecto nas estrelas que influi sobre nosso destino. Consultar a um adivinho é tratar de enganar a consciência para dar paz ao coração. O adivinho é um charlatão e como charlatão faz fortuna. O discípulo que afirma: — EU SOU DEUS EM AÇÃO — dentro e fora, não pode dividir sua atenção e fixá-la sobre um poder externo. A sugestão e a auto-sugestão negativas são as que paralisam o efeito construtivo da Lei, para pôr em movimento o aspecto negativo. O discípulo deve afastar de si a charlatanaria dos adivinhos, e sentir — EU SOU DEUS EM AÇÃO — que anula toda superstição.

293

EU SOU O QUE O CRIADOR É LOGO:

EU SOU A VERDADE QUE ELIMINA TODA MENTIRA. EU SOU A LUZ QUE AFUGENTA AS TREVAS.

Cada vez que o discípulo deseja fazer calar as calúnias e murmurações, e anular o efeito venenoso dos juízos falsos, deve utilizar esta afirmação que anula as correntes malignas.

294

EU SOU O QUE O CRIADOR É. LOGO:

EU SOU A PRESENÇA QUE CONTROLA O PENSAMENTO E O SENTIMENTO DE CADA SER.

A cólera, o ciúme, o ódio e demais sentimentos destrutivos escravizam o homem e o arrastam à degradação; os sentimentos excitados aceitam toda influência estranha. O plexo solar é a porta por onde entram estas morbosidades quando se as convida por meio da ira e do pensamento descontrolado.

Um destrutor potentíssimo do poder do — EU SOU — é o jogo de azar. Se o jogador visse como os anjos do íntimo abandonam sua aura para dar passagem aos do inimigo interno, não voltariam nunca mais a jogar, nem permanecer nos antros do jogo de azar.

295

EU SOU O QUE O CRIADOR É. LOGO:

EU SOU A PRESENÇA QUE ATUA POR MEIO DA CONSCIÊNCIA.

Não mais do que um só poder que atua. O discípulo deve aspirar e deixar que este poder atue nele com completa liberdade. Deve viver conscientemente com ELE. Isto o levará a um progresso contínuo e seguro.

296

EU SOU O QUE O CRIADOR É. LOGO:

EU SOU A PRESENÇA QUE PRESERVA A ESTE SER, ESTE LAR, ESTA FAMÍLIA DE QUALQUER MANCHA.

É o mais poderoso meio de realizar todas as coisas boas nos seres humanos. Não há domínio permanente a não ser por este meio. Quanto mais conscientemente atuamos sobre uma coisa tanto mais nos carregamos e obedecemos a nossos desejos construtivos.

297

EU SOU O QUE O CRIADOR É. LOGO:
EU SOU. EU SOU. EU SOU.

Sabe, querido aspirante, compreende o que significa isto para você? Medite nestas duas sílabas. Feche os olhos e as repita mentalmente, Sinta, sabe que — EU SOU — não é o corpo, não é o organismo, não é a imaginação, nem os pensamentos seus, embora ELE esteja em você e você NELE. Repita estas palavras com determinação, e Seu amor glorioso o envolverá no manto da Paz, do Poder e da Sabedoria.

298

EU SOU O QUE O CRIADOR É. LOGO:
EU SOU A PRESENÇA DO RAIO CRÍSTICO NO MUNDO, NA MENTE, NO CORAÇÃO E NO LAR.

Muito limitado é o número de pessoas que compreende o que significa Cristo e o raio Crístico. Quase todos crêem que Cristo é um homem que morreu há dois mil anos, e nunca se lhes ensinaram que Cristo é um atributo da Divindade que mora em cada ser e em cada homem, e, que por este atributo tudo o que foi feito está feito. Para que o Cristo se expresse em nós como se manifestou em Jesus, devemos seguir os ensinamentos secretos de Jesus e abrir avidamente nosso coração, mente e templo a — EU SOU — para que atue livremente.

299

EU SOU O QUE O CRIADOR É. LOGO:
EU SOU A PROVIDÊNCIA QUE REPARTE SEUS DONS EM CADA SER.

Cada um de nós recebe justamente o que, no momento, necessita. Devemos regozijarmo-nos, sempre, pelo adiantamento de algum irmão ou irmã e nunca crer que vamos receber dons iguais aos dos outros; mas, quando recebemos, devemos dar graças e repartir com os demais o que gratuitamente nos foi dado.

300

EU SOU O QUE O CRIADOR É. LOGO:

EU SOU A PRESENÇA QUE PENSA E ATUA POR MEIO DA MENTE.

Quando o raio da Presença penetra em cada átomo de nosso ser, a mente pode transladar-se de um lugar a outro, e pode materializar-se tomando uma forma igual ao corpo físico ou diferente dele, segundo o desejo e a intenção de ajudar.

Com esta afirmação, podemos atrair a Luz Crística que varre com as trevas do cérebro e dissolve as más idéias. O amor e o anelo de superação produzem uma irradiação inconcebível. Ninguém pode pôr obstáculos a outro ser se este não obstaculiza a si mesmo. Quem se mantém firme na Luz, não verá trevas, e todas as dificuldades serão removidas de seu caminho.

301

EU SOU O QUE O CRIADOR É. LOGO:

EU SOU A PROVIDÊNCIA EXPRESSANDO-SE EM CADA MOMENTO E EM TODAS AS PARTES.

Tudo tem sido criado pela Luz Inefável da Providência. Nessa Luz, a forma se conserva. A saúde é a vibração de Deus em cada corpo. Toda pulsação é a respiração do — EU SOU —. O poder é a Lei do perdão e do amor na mente e coração de cada filho de Deus. Sejamos filhos conscientes do — ÍNTIMO EU SOU — para expressar seus dons.

302

EU SOU O QUE O CRIADOR É. LOGO:

EU SOU O VERBO CRIADOR ATRAVÉS DA MENTE, CORAÇÃO E LÍNGUA.

Toda palavra de verdade é o começo de um ato de justiça. A palavra injusta é destruição.

É necessário que mate ou que morra, senão, será a desordem e uma blasfêmia contra a Verdadeira Lei.

A palavra ociosa da qual falou Jesus é aquela palavra de mofa, de nescedade que faz rir aos demais e da qual devemos prestar contas. A palavra bela é sempre verdadeira; um profundo e belo poema é sempre santo como todas as obras de arte, quando são belas. Não há mais palavras más do que as palavras mal pensadas e mal faladas. Toda palavra bela é uma palavra de verdade. É uma luz modelada na palavra.

303

EU SOU O QUE O CRIADOR É. LOGO:

EU SOU O MANANCIAL DA SAÚDE. EU SOU A FONTE DA JUVENTUDE.

O grande meio mágico para conservar a saúde e a juventude é deter a velhice da alma. A alma envelhece quando se crê abandonada à sua sorte, longe de Deus e da bondade dos homens. Esta afirmação outorga ao discípulo a alegria, a felicidade e afirma sua fé na bondade sobre a terra, na amizade, no amor e na Presença — EU SOU — que guia seus passos a todas as delícias da alma. Crer no bem é possuir o bem. É necessário voltar a ser criança que crê na ternura e no amor da Providência para poder entrar no Reino predicado por Jesus. Sede crianças pelo coração, sustentando — EU SOU A PRESENÇA — e tereis a juventude no corpo e a saúde inquebrantável.

304

EU SOU O QUE O CRIADOR É. LOGO:

EU SOU A SANTA FELICIDADE. EU SOU A BELA REALIDADE. EU SOU A ALEGRIA DE VIVER.

Os esgotados são seres que jamais souberam ser felizes, e os enfermos demonstram que nunca beberam das fontes do — EU SOU.

Até para gozar dos prazeres sensuais é preciso ter o sentido moral. Todos os que caluniam e se queixam da vida são unicamente os que abusarem dela.

"Quem se alia à santidade, a dá aos que não a têm", disse um adepto. Isto nos ensina que para ser feliz, embora neste mundo, é necessário ser santo. Mas, como pode o homem chegar a ser santo? — Pois, simplesmente pelo SABER: — EU SOU O QUE O CRIADOR É. — Pelo OUSAR: EU SOU DEUS EM AÇÃO EM CADA SER. Pelo QUERER: EU SOU O AMOR E A LEI DO PERDÃO. E pelo CALAR: EU SOU O PODER INFINITO OCULTO EM CADA SER.

305

EU SOU O QUE O CRIADOR É. LOGO:
EU SOU DEUS EXPRESSANDO-SE CONSCIENTEMENTE, EM TI E POR TI, AO MUNDO.

Devemos ser conscientes desta afirmação e nunca jamais pensar em utilizar este privilégio em proveito egoísta. Devemos tratar, com todo nosso esforço, de afastar a ignorância de nossa mente externa que se intitula científica para crer e sentir as coisas que não se vêem, até que chegue a hora da manifestação externa. O automóvel e o avião foram e eram fé na mente e coração de seus inventores. O estudante que sente com fé a PRESENÇA DO — EU SOU — é o inventor divino que cria poder, desenvolve saber e irradia amor ao mundo externo, convertendo-o em Paraíso terrenal da Bíblia.

O verdadeiro discípulo não discute a verdade com ninguém; somente **sabe, quer, ousa** e **cala,** e a Luz Inefável do — EU SOU — ilumina a todos com quem o discípulo tem contato e forem ajudador por ele.

306

EU SOU O QUE O CRIADOR É. LOGO:
EU SOU TODO O SABER, TODO O PODER E TODO O AMOR EM TODA MENTE E TODO CORPO PERFEITO.

"E DEUS DISSE: faremos o homem à nossa imagem e semelhança". Isto quer dizer, em verdade e sem dúvida "FAREMOS O HOMEM PERFEITO COMO NÓS". Pois, se Deus fez o homem à sua imagem e semelhança, quem pode mudá-lo, sendo perfeito? Logo deve seguir perfeito e não poderá ser de outro modo. O homem não muda; só as criações mentais do homem são as que modulam e desarmonizam sua vida. Deus não abandona o homem; é o homem quem se afasta de Deus e sofre as conseqüências de seu desvio.

Vigiai e velai os vossos sentimentos, para que o ladrão não entre de noite e roube o tesouro de vossa fé.

Às vezes, o estudante se confunde e põe resistência à verdade, pela dúvida e incredulidade. Neste caso, deve acudir instantaneamente a esta afirmação: EU SOU A PRESENÇA DA VERDADE EM TODOS OS SENTIDOS. Isto acalma a mente externa e a une à interna.

307

EU SOU O QUE O CRIADOR É. LOGO:

EU SOU. EU SOU. EU SOU O USO E A EXPRESSÃO DO AMOR ILIMITADO.

Esta afirmação elimina a fatuidade, a presunção e o orgulho que são os verdadeiros impedimentos para o progresso e desenvolvimento do aspirante.

Quando se unem dois ou três em um grupo e trabalham desinteressadamente, usando esta afirmação, trazem ao seu mundo e ao mundo este grande bem-estar e bênção pela onipotente força coletiva e cooperativa do — EU SOU A PRESENÇA EM CADA UM. — O estudante que se mantém em amorosa bênção dispõe do amor divino do — EU SOU — para irradiá-lo à vontade.

308

EU SOU O QUE O CRIADOR É. LOGO:

EU SOU O CRIADOR FEITO CARNE. EU SOU A VIDA ETERNA. EU SOU A ETERNIDADE DO AMOR. EU SOU O ETERNO AGORA.

EU SOU a vontade divina, herança divina em cada homem. Quando a LUZ DO — EU SOU — começa a brilhar em nós, já não nos é possível fazer outra coisa, senão cumprir com SUA LEI E VONTADE. Aqui atua o livre-arbítrio, para eleger e decretar nosso proceder em nossas vidas e mundos.

Deus, somente, pode atuar em nossas vidas e mundos, de acordo com a nossa direção consciente.

Devemos gravar estas palavras com letras de fogo em nossas mentes. Esta é a nota chave: A COMPREENSÃO DA VONTADE DE DEUS E A NOSSA VONTADE LIVRE.

309

EU SOU O QUE O CRIADOR É. LOGO:
EU SOU O PRINCÍPIO DA VIDA, AMOR E PODER.

Cada filho de Deus tem a consciência que é onipresente e individualizada. NÃO É CERTO que Deus atua de acordo com sua PRÓPRIA VONTADE NA VIDA DE UM SER OU UM POVO. Deus é o PRINCÍPIO DA VIDA em cada mente individualizada e revestida de personalidade. Então, a personalidade é o veículo para o uso e expressão desta Poderosa Individualização, que é a Vontade de DEUS, ou seja o nosso livre-arbítrio. O mal somente se manifesta por nossa direção consciente. Meditemos nisto: A VONTADE LEI DE DEUS É UMA PARA TODOS OS MUNDOS E SERES; SÓ O HOMEM COM SUA MENTE CONSCIENTE PODE DESOBEDECER A LEI, PRIMEIRO PELO PENSAMENTO QUE SEMPRE PRECEDE AO ATO E LOGO PELA REPETIÇÃO DO ATO QUE FORMA O CARÁTER E O DESTINO DO HOMEM. Estes pensamentos e atos voluntários que desobedecem à LEI são os que causam as desgraças, as enfermidades e a desarmonia que aprisionam o — EU SOU — (temporariamente) e impedem que ELE EXPRESSE SUA VONTADE no homem. "VENHA A NÓS O TEU REINO (primeiramente) E FAÇA-SE TUA VONTADE".

310

EU SOU O QUE O CRIADOR É. LOGO:
EU SOU A PRESENÇA DA VONTADE DIVINA EM AÇÃO.

Meditar detidamente nesta afirmação, limpará a mente de muitos preconceitos dogmáticos, religiosos e filosóficos.

O discípulo é o ser que atua conscientemente, usando sua vontade como instrumento da — VONTADE DO EU SOU — no Universo. — EU SOU — **somente pode atuar por meio da mente consciente de sua própria individualização que reveste a personalidade.**

Todo ser que não pode dizer — EU SOU — não está individualizado, e por este motivo obedece por instinto à Lei Universal sem poder desobedecê-la. Quando o discípulo começa a usar constantemente sua mente objetiva para cumprir a vontade do Pai que está nele, converte-se em homem Deus. Somos conscientes de nossa individualização, temos livre vontade e somos seres atuantes; então, devemos sentir fundo, pensar alto e atuar pura e desinteressadamente: É A VONTADE DE DEUS, O — EU SOU DEUS EM AÇÃO — na mente e no coração do mundo.

311

EU SOU O QUE O CRIADOR É. LOGO:

EU SOU A ÚNICA INTELIGÊNCIA QUE ATUA. ONDE QUER QUE DOIS OU TRÊS SE REÚNAM EM MEU NOME, ALI ESTAREI NO MEIO DELES.

Se todos os homens sentissem o significado desta promessa, tratariam, com todo o esforço possível, de manter essa corrente pura, sem mancha. Este é o segredo de toda perfeição. Aqueles que meditam constantemente nisto, emanarão saúde, alegria e adquirirão beleza de rosto e de forma, até que chegará o dia em que sua aura brilhará como o sol e atrairá a todos os que se põem em sua órbita.

Cada aspirante deve converter-se em mensageiro do — EU SOU — para os demais e tratar de formar apóstolos da verdade entre os homens.

É verdade que se o discípulo trabalha com desinteresse, as portas das Universidades Internas se abrirão ante ele e terá a comunicação direta e consciente com os Mestres Invisíveis que o iniciarão em todas as ciências necessárias para sua atividade e desenvolvimento.

312

EU SOU O QUE O CRIADOR É. LOGO:

EU SOU A MENTE DIVINA EM TODA MENTE.

Esta afirmação anula os desejos baixos que entram primeiramente na mente, como ladrões, para roubar-nos algo valioso de nossos tesouros. Esta invocação consome os pensamentos baixos e mantém a mente pura e limpa.

313

EU SOU O QUE O CRIADOR É. LOGO:

EU SOU UNO COM O PAI. EU SOU A RESSURREIÇÃO E A VIDA. EU SOU A PORTA, A VERDADE E A VIDA.

Quando Jesus fazia estas afirmações, se referia ao — GRANDE EU SOU QUE É VIDA MANIFESTADA EM CADA SER — e não à pessoa de Jesus, porque também dizia: "As coisas que eu faço também vós as podereis fazer, e ainda maiores". Ele sabia que cada individualização de Deus é um filho de Deus no qual habita — EU SOU — e está obrigado a ir forçosamente adiante. Quando o discípulo repete as afirmações de Jesus conscientemente, adiantar-se-á a despeito de todas as travas do eu inferior externo e sua mente carnal. Este é o único meio de se fazer uno com o Pai, estando o discípulo cumprindo seus ciclos de individualizações no uso da atividade do eu externo, porque a terra é o melhor lugar de experimentações.

O caminho de Jesus é a única senda para cada individualização que quer encontrar seu caminho de retorno. Também disse Ele: "Eu estou sempre convosco" e quis ensinar-nos que — EU SOU UNO CONVOSCO — ou — EU SOU A PRESENÇA EM VÓS.

314

EU SOU O QUE O CRIADOR É. LOGO:

EU SOU A INTELIGÊNCIA, A ENERGIA E A AÇÃO QUE RESOLVEM ANTECIPADAMENTE OS PROBLEMAS.

Nossa ignorância cria os problemas e a mente tem que estar ocupada em resolvê-los. Mas, quando o discípulo se entrega confiantemente à vontade de seu Íntimo — EU SOU — e se neste estado se apresenta alguma dificuldade, não tem senão que repetir esta afirmação e toda desarmonia e contratempo se dissolverão instantaneamente. Devemos ajustar a consciência para poder falar a — EU SOU A PRESENÇA — que maneja todas as condições em nossa experiência para dar-nos o domínio de todas as coisas.

315

EU SOU O QUE O CRIADOR É. LOGO:

EU SOU A INTELIGÊNCIA. EU SOU A BELEZA. EU SOU A HARMONIA NOS PENSAMENTOS, SENTIMENTOS, PALAVRAS E OBRAS.

Feliz é o aspirante que chega a sentir isto. A substância que rodeia o corpo é demasiadamente sensível e susceptível ao pensamento e sentimento conscientes, pelos quais se pode modelar qualquer forma.

Esta substância do corpo pode, pelo pensamento e sentimento conscientes, ser modulada e modelada à mais extraordinária beleza. Olhar no espelho e desejar a beleza aos olhos, ao rosto e às suas expressões, usando as afirmações conscientemente, sem dúvida a substância sensível e invisível os revestirá com a beleza do sentimento e do pensamento. Não muda a cor dos olhos, mas, os dota de uma simpatia demasiadamente atrativa e assim moldará o rosto com as irradiações que fluem dele. O homem aspira os átomos afins aos seus pensamentos.

316

EU SOU O QUE O CRIADOR É. LOGO:

EU SOU A RESSURREIÇÃO E A VIDA DE TODA CÉLULA NO CORPO-TEMPLO.

Nunca se deve abandonar os exercícios respiratórios e físicos que ajudam a modular o corpo e o fazem mais simetricamente formoso, perfeito e são. Quem pratica ginástica conscientemente envia a energia que flui do — EU SOU — através de suas células, fazendo-as obedecer suas ordens. Quando o corpo adoece, a atenção se fixa sobre o corpo, e o — EU SOU EM AÇÃO — já não pode dispor dela; por tal motivo a saúde é obrigatória para a superação.

Insconscientemente, a energia flui no corpo, porém, se intensifica muito mais, com os exercícios conscientes.

O exercício e a afirmação reduzem o abdômen anormal; a energia consome a gordura desnecessária. **Também a massagem suave circulatória da direita para a esquerda com exercícios respiratórios cura a dor ou um órgão enfermo.**

Esta é a panacéia do discípulo que imita a seu Mestre Jesus: ativa os órgãos, acalma os excitados e atua sobre as células das fibras e dos ossos.

317

EU SOU O QUE O CRIADOR É. LOGO:

EU SOU O ÚNICO PODER INTERNO QUE CURA AS ENFERMIDADES. EU SOU A FORÇA MEDICATRIZ QUE CURA TODA DOR.

Se os homens dessem imaginação ao PODER INTERNO como a dão aos agentes externos, como as drogas ou qualquer outra coisa, não seriam tão sofredores e desgraçados. Se recordassem que a saúde não vem de fora, e sim de dentro, e que nenhuma coisa externa tem poder em suas experiências a não ser a que eles mesmos lhe dão, teriam seguido a — LEI INTERNA DO EU SOU — e saído das limitações em que eles mesmos se colocaram.

Agora, ao retornar a esta verdade, a sentimos em cada momento que a GRANDE PRESENÇA é a que cicatriza as feridas, faz o sangue circular, mover as células do organismo, etc.... e não são as drogas ou agentes externos por si sós. Aos incrédulos, podemos convidá-los a que cicatrizem a ferida de um cadáver privado do — EU SOU — para constatar o resultado. LOGO: EU SOU A FORÇA MEDICATRIZ. EU SOU A SAÚDE.

318

EU SOU O QUE O CRIADOR É. LOGO:

EU SOU A INDULGÊNCIA, A TOLERÂNCIA E O PERDÃO.

O homem que julga os demais é porque tem o mesmo defeito. Desta maneira, podemos conhecer o homem através de seus conceitos e juízos sobre os demais, porque assim está admintido em si mesmo o defeito que está vendo nas outras pessoas.

Jesus, o ser mais puro, disse: "Nem eu te julgarei, mulher; vai-te em paz e não pecarás mais."

319

EU SOU O QUE O CRIADOR É. LOGO:

EU SOU PERFEITO COMO MEU PAI CELESTIAL É PERFEITO.

Quando o homem vê uma imperfeição nos demais, está formando esse mesmo defeito em sua própria pessoa. A melhor ajuda para o próximo é a de não julgá-lo. Muitos dizem: "Se eu tivesse dinheiro faria muito bem à humanidade!". Pois nós lhes responderemos com toda a simplicidade: quando chegar a tê-lo faria o contrário do que deveria fazer. Afirmamos isto porque o temos constatado em dezenas de pessoas. O verdadeiro aspirante sempre tem as coisas, e sem dinheiro, para ajudar aos demais. De que maneira? — Não julgar o próximo e em seguida sentir amor por ele, e afirmar — EU SOU A PRESENÇA ATUANDO NESTE SER — É mil vezes melhor do que dar-lhe uma insignificante esmola.

320

EU SOU O QUE O CRIADOR É. LOGO:

EU SOU AS RIQUEZAS E O BEM-ESTAR DE MEU PAI PARA MEU USO.

Quem emprega as afirmações com verdadeiro sentimento e confiança, converte-se, por elas, em um acumulador magnético. Não é ilícito pedir riquezas, embora o discípulo ao chegar a estas alturas, já tenha a consciência firme para distinguir que — EU SOU — é o que dá o poder e a inteligência para fazer estes pedidos e que as riquezas são como as construções sobre as areias; não têm nenhumas solidez se não têm o sustentáculo do amor, do saber e da luz.

321

EU SOU O QUE O CRIADOR É. LOGO:

EU SOU A PRESENÇA DO AMOR EM TUDO O QUE REALIZO E USO.

Só pelo esforço consciente de manter a mente quieta, o poder interno pode fluir sem obstáculo para a realização. A mente consciente sempre tende a buscar motivos para duvidar e perturbar, mas, quando lhe dirigimos uma pergunta destas: Que é a vida? Que é a inteligência? Quem faz mover esses corpos celestes?, etc.... então começa a balbuciar... para terminar com: — Ninguém o sabe, ou não é de importância vital sabê-lo.

Cada discípulo deve consultar ao — EU SOU — e pedir-lhe a faculdade de saber e ver claramente que plano deve executar.

322

EU SOU O QUE O CRIADOR É. LOGO:

EU SOU DEUS EM AÇÃO CONSCIENTE. EU SOU A COMPREENSÃO PARA FAZER JUSTAMENTE O QUE SE ESTÁ FAZENDO.

O uso desta afirmação afasta o desequilíbrio de nosso trabalho. — EU SOU — a harmonia universal equilibradora, porque é o Poder inteligente que governa com precisão e perfeição.

A afirmação de Jesus: EU SOU A RESSURREIÇÃO E A VIDA (DE MINHA OBRA) pode ser usada como a chave mágica para todas as circunstâncias e trabalhos.

323

EU SOU O QUE O CRIADOR É. LOGO:

EU SOU A PRESENÇA REVELADA À CONSCIÊNCIA EXTERNA.

Desta maneira, a mente objetiva obtém a convicção da atividade completa interna do — EU SOU A PRESENÇA. — Já não duvidará de que dentro de cada ser existe — EU SOU — que maneja, dirige e controla com suma perfeição os sete sistemas do mundo e do corpo.

Devemos saber que existe um precipício profundo entre espiritualismo e psiquismo. O plano psíquico é o da fascinação e da miragem que engana a atenção e não tem provas definidas da verdade. Os seres que habitam neste plano predicam muito pela boca daqueles que estão sob controle e fazem profecias duvidosas. O Mensageiro de Luz, o Ser Elevado comunica sua Luz aos seus eleitos para a realização do Amor, Saber e Poder do — EU SOU — nos demais seres.

324

EU SOU O QUE O CRIADOR É. LOGO:

EU SOU A LUZ DA VERDADE QUE ILUMINA A RAZÃO EM CADA PLANO E A CADA MOMENTO.

Isto nos evita o engano; o engano e a confusão nos demais planos sutis e submergidos como o astral e o psíquico que nada têm que ver com o adiantamento espiritual. A consciência humana tem uma faculdade que pode ser desenvolvida de muitas maneiras e modos para chegar ao plano psíquico, seja consciente ou inconscientemente; mas podemos afirmar a esses ingênuos irmãos que querem desenvolver estas faculdades, que é preferível mil vezes encantar e brincar com as víboras do que com os seres do plano psíquico. É um plano sedutor e aquele que cai em suas redes não poderá desprender-se delas nesta vida.

Muitos discípulos nos contam o que vêem e o que ouvem e nós não temos motivos para duvidar de tudo o que nos contam; mas nosso único conselho é o de não dar nenhuma atenção às afirmações e fenômenos psíquicos de ver e ouvir.

OS FENÔMENOS PSÍQUICOS ENCHEM O CÉREBRO COM CERTOS ÁTOMOS QUE REPELEM ATÉ A AJUDA DO MESTRE QUE QUER SALVAR AO SER QUE SE ENCONTRA AGARRADO A ESSES TENTÁCULOS. Aquele ser que se deixa dominar por uma entidade psíquica, profana o TEMPLO DE DEUS (corpo).

325

EU SOU O QUE O CRIADOR É. LOGO:

EU SOU O PODER PRESENTE QUE CONTROLA OS SETE SISTEMAS INTERNOS DO HOMEM.

Homens e mulheres têm perdido o controle de suas paixões, como o abuso sexual, a cólera, etc. . . . tornam-se sensíveis à influência das almas desencarnadas e dos elementais inferiores. Estes médiuns ou a maioria deles tornam-se neurastênicos, obsecados e às vezes depravados. Para salvá-los é necessário uni-los no plano físico com seres cujas irradiações possam romper as cadeias da ignorância nas quais a humanidade está atada.

Não se tem visto que, às vezes, uma santa mulher está unida a um destes seres depravados, ou um nobre varão a uma mulher venal? Isto explica o porquê e como certas almas superiores se sacrificam voluntariamente para ajudar os desgraçados presos aos seres psíquicos.

O discípulo deve chamar sempre ao — EU SOU A PRESENÇA — para que controle a sensibilidade destes irmãos.

As guerras levam esses seres a um plano psíquico com mais facilidade; por tal motivo, depois da guerra há maior corrupção e mais desencadeamento de paixões não controladas.

326

EU SOU O QUE O CRIADOR É. LOGO:

EU SOU A LUZ INEFÁVEL NO CENTRO DE TUA TRINDADE.

E Deus disse: (declarou sua vontade) "Faça-se a Luz e a Luz foi feita". Esta é a manifestação do Criador que é Poder, Saber e Vida que está dentro de cada ser humano. O homem é trino; é como o Absoluto; reflete seus três atributos e os expressa para o exterior.

327

EU SOU O QUE O CRIADOR É. LOGO:

EU SOU A PRESENÇA DO SABER, DO PODER E DO AMOR NESTE SER.

Com esta afirmação o discípulo invoca a tríplice irradiação da Trindade.

Os que continuam aplicando o uso da — PRESENÇA DO EU SOU — estão recebendo os três dons da Trindade Divina durante o tempo que a sustentam.

Esta afirmação dirigida a uma família, casal ou sociedade, harmonizará rapidamente sua vida e seu modo de ser.

328

EU SOU O QUE O CRIADOR É. LOGO:

EU SOU DEUS PRESENTE EM TUDO QUE FAÇO E POR ISSO O FAÇO.

Quão mais adiantado no caminho esteja o estudante, maiores serão suas tentações e dificuldades. À medida que o fogo purificador ascende, o eu pessoal deve ser controlado melhor. A grandiosa afirmação precedente chama o — EU SOU — para que governe a atividade de todos em tudo.

329

EU SOU O QUE O CRIADOR É. LOGO:
EU SOU O FOGO DEVORADOR QUE CONSOME TODO PODER NEGATIVO QUE PROCURE PENETRAR.

Esta é uma espécie de couraça que mantém o ambiente em harmonia em si e em todos os seres queridos.

Para ajudar alguma pessoa é suficiente repetir esta afirmação, concentrando nela o pensamento. A melhor maneira de vencer as perturbações é esquecê-las, e se não for possível, deve-se ocupar a mente com afirmações que as façam desaparecer.

330

EU SOU O QUE O CRIADOR É. LOGO:
EU SOU A PRESENÇA NA AURA QUE ATRAI O POSITIVO E REPELE O NEGATIVO.

A aura deve ocupar a atenção do discípulo porque é o arquivo de todos os seus pensamentos, palavras e obras. Nunca deve acumular nela condenação, irritação, cólera, ódio, etc.

Tudo o que deixa impressão nos sentimentos fica no ambiente interno. Um sentimento discordante é como o gérmen ou o vírus de uma enfermidade latente no corpo, esperando o momento propício para invadir o interior e em seguida manifestar-se no exterior. Um mau desejo pode ser eliminado com — EU SOU DEUS EM AÇÃO QUE ESTÁ AQUI E ESTÁ ALI.

331

EU SOU O QUE O CRIADOR É. LOGO:
EU SOU A PRESENÇA NOS SENTIMENTOS.

Só o sentimento deixa uma marca interna. Nunca se deve deixar o pensamento e o sentimento seguirem sem controle.

Quando começamos a frear nosso sentir e fazer calar o desejo, a Energia Divina infiltrará em nós, até converter-nos em deuses conscientes de nossa Divindade.

Quando um elemento discordante intenta invadir nossos sentimentos, é suficiente repetir a afirmação anterior e assim a porta fica cerrada. Esta auto-superação nos proporciona a vitória em cada momento.

332

EU SOU O QUE O CRIADOR É. LOGO:

EU SOU O EQUILÍBRIO, A PAZ E A HARMONIA.

Não sei como o aspirante não se sente feliz tendo em suas mãos estes poderes ingentes e divinos. Mas, devemos sentir que, se não corrigirmos nossas faltas, não poderemos alcançar a vitória. — EU SOU — em nós, corrige tudo, se o deixarmos agir com liberdade. Devemos entregar o mandato ao — EU SOU DEUS EM AÇÃO — para que varra com tudo impuro de seu templo-corpo e renove constantemente suas células.

333

EU SOU O QUE O CRIADOR É. LOGO:

EU SOU A ÁGUA VIVA; QUEM BEBE DELA NÃO TERÁ SEDE JAMAIS, E SE FARÁ NELE UMA FONTE QUE VAI ATÉ À VIDA ETERNA.

Estas são as afirmações que Jesus nos deixou como um caminho aberto para chegarmos conscientemente ao — EU SOU —. A Água Viva está dentro de nós. O hábito de culparmos sempre aos outros pelas coisas que nos sucedem, é o que nos cega e nos impede de ver a verdade para tomar esta água da vida.

A atitude correta do discípulo é sentir-se — EU SOU A ÁGUA VIVA — para acalmar a sede de seus irmãos na vida, e desta maneira aumentará a área de sua própria aura, e assim terá o Poder Universal à sua disposição para desempenhar a missão de Salvador.

334

EU SOU O QUE O CRIADOR É. LOGO:

EU SOU O PÃO DA VIDA QUE DESCEU DO CÉU: COMEI, ESTE É MEU CORPO. BEBEI, ESTE É MEU SANGUE.

"Em verdade, em verdade vos digo: se não comerdes minha carne e se não beberdes meu sangue não tereis vida em vós. — EU SOU O PÃO DA VIDA —. O que come minha carne e bebe meu sangue, está em mim (conscientemente) e EU nele. Assim como me enviou meu PAI VIVO e vivo eu no meu PAI, assim também o que me come viverá em mim e por mim. Quem come este Pão viverá sempre. O ESPÍRITO NA CARNE É O QUE DÁ A VIDA; A CARNE (material) NÃO SE APROVEITA PARA NADA. AS PALAVRAS QUE VOS DIGO SÃO ESPÍRITO E SÃO VIDA.... MAS, NINGUÉM PODE VIR A MIM (EU SOU) SE NÃO O É PELO MEU PAI".

335

EU SOU O QUE O CRIADOR É. LOGO:

EU SOU A LUZ DO MUNDO. QUEM ME SEGUE, NÃO ANDA NAS TREVAS.

O discípulo deve tomar a atitude de Jesus, fechando as portas dos sentidos, e se recordar sempre de seus deveres para os quais veio ao mundo. Deve saber: — EU SOU A PRESENÇA QUE EFETUA TODA A REALIZAÇÃO.

Os deveres de cada homem é sentir, trabalhar e manifestar a paz, o amor e a harmonia, e assim se converte em Luz que ilumina.

336

EU SOU O QUE O CRIADOR É. LOGO:

EU SOU O QUE QUEIRA QUE O CRIADOR É.

Quando o discípulo recebe a luz desta verdade, chega à compreensão de que é o Filho, um partícipe da Majestade Divina. Esta verdade tem que infiltrar-se na mente, e a vida se transformará em Paraíso na Terra, para todo ser que a sente.

337

EU SOU O QUE O CRIADOR É. LOGO:
EU SOU A RESSURREIÇÃO E A VIDA.

O ponto importante que Jesus desejava era fazer-nos entender que dentro de cada um, mora Deus, como repetiu várias vezes: "Vós sois Deuses". Jesus sabia e usava a Poderosa Presença do — EU SOU — cuja execução parecia milagre à humanidade, sendo nada mais do que ação e uso de Leis Cósmicas que giram ao nosso redor, para serem postas em atividade.

Como Jesus sabia que muitos não queriam, nem podiam entender estas maravilhas, disse: "Eu Te louvo Pai, porque ocultaste estas coisas aos sábios e discretos, e as revelastes aos pequeninos... Tudo me tem sido entregue por meu Pai... Vinde a mim todos os que estais sobrecarregados e em sofrimento e eu vos aliviarei..." O discípulo que compreendeu o significado de — EU SOU A RESSURREIÇÃO E A VIDA — deve repetir esta ação de graças ao Pai, como o fez Jesus.

338

EU SOU O QUE O CRIADOR É. LOGO:
EU SOU UNO COM O PAI. EU SOU ELE. ELE É EU.

Onde está a Presença do — EU SOU — não pode haver egoísmo ou amor próprio na direção e na atividade externa da sorte. Por este motivo, não se deve ter medo em usá-la para abençoar, curar, fazer prosperar e iluminar a nossos semelhantes. Jesus dizia: "Quando levantais ao alto o Filho do Homem, então, conhecereis que — EU SOU — e não faço nada de mim mesmo, senão que, segundo me ensinou o Pai, assim falo. Quem me enviou está comigo; não me deixou só, porque eu faço sempre o que é de seu agrado." Este é o único caminho de cada discípulo que: EU SOU A PRESENÇA DE DEUS EM AÇÃO EM CADA SER.

339

EU SOU O QUE O CRIADOR É. LOGO:
EU SOU A VERDADE E A VERDADE VOS FARÁ LIVRES.

A primeira condição que cada ser humano deve ter é amar a seus semelhantes e tratar de conhecer e sentir — EU SOU A VER-

DADE —; assim não será mais servo de sua paixão e de seu pecado. Amar a seus semelhantes é amar a Deus e amar a Deus é seguir a Lei do — EU SOU O ÍNTIMO.

Jesus dizia: "Por isto o Pai me ama, porque eu dou minha vida para tomá-la de novo. Ninguém me tira-a, sou eu quem a dou, de mim mesmo."

A Lei do Íntimo é amar e dar a vida por seus semelhantes.

340

EU SOU O QUE O CRIADOR É. LOGO:

EU SOU O FILHO AMADO E MEU PAI SEMPRE ME ESCUTA. PEÇO (O PEDIDO).

O que pode mais pedir o ser humano? A Poderosa Presença Divina faz todas as coisas de acordo como deseja que sejam executadas, porque — EU SOU A ATIVIDADE ETERNA EM CADA COISA À QUAL O PENSAMENTO POSITIVO SE DIRIGE. — O Pai Celestial santifica o Filho e o encarrega de executar suas obras.

Isto, usado sempre com o sentimento do Poder e do Amor, manmantém a atmosfera purificada, cura as enfermidades, alivia os sofrimentos.

Quando desejamos ajudar outro ser devemos chamá-lo pelo seu nome e com autoridade enviar-lhe a Energia Divina da afirmação, e ele a receberá instantaneamente, embora esteja do outro lado da Terra, porque — EU ESTOU AQUI, EU ESTOU ALI.

341

EU SOU O QUE O CRIADOR É. LOGO:

EU SOU DEUS EM FORMA CORPÓREA.

Devemos recordar sempre que nós não somos os tais chamados "seres humanos", e sim Deus e Deidades em embrião... Responderam-lhe os judeus: Por nenhuma obra boa te apedrejamos, e sim pela blasfêmia, porque tu, sendo homem, te fazes Deus. Jesus lhes respondeu: Não está escrito em vossa Lei? Eu digo: Deuses sois, pois Deuses somos e temos que estar alertas de nossa plenitude de Deus.

342

EU SOU O QUE O CRIADOR É. LOGO:

EU SOU A VIDEIRA VERDADEIRA. TODO SARMENTO QUE EM MIM NÃO DÁ FRUTO, SERÁ CORTADO; E TODO O QUE DÊ FRUTO SERÁ PODADO PARA QUE PRODUZA MAIS FRUTO.

Esta é outra promessa de inestimável valor. A Presença Divina em nós, dá-nos vigor, coragem, poder e iluminação para serem empregados e aproveitados como os cinco talentos aos quais se refere Jesus. Os sarmentos que dão frutos são os que usam o Poder Divino para o bem-estar dos demais; mas, aquele servidor preguiçoso que não quer trabalhar ou que trabalha mal, será eliminado pela mesma Lei. Assim assegura o Grande Mestre: "— EU SOU A VIDEIRA, VÓS SOIS OS SARMENTOS — AQUELE QUE PERMANECE EM MIM E EU NELE, ESSE DÃ FRUTO EM ABUNDÂNCIA. . ." Este é o único objetivo do discípulo: Receber para dar e dar sem esperar recompensa.

343

EU SOU O QUE O CRIADOR É. LOGO:

EU SOU A PORTA DAS OVELHAS.

"Aquele que por mim entrar se salvará, entrará e sairá." "EU vim para que tenham vida e que a tenham abundante. — EU SOU — o bom pastor; o bom pastor dá sua vida pelas ovelhas; conheço as minhas e as minhas me conhecem, como o Pai me conhece e eu conheço meu Pai. Eu e o Pai somos uma coisa só."

344

EU SOU O QUE O CRIADOR É. LOGO:

EU SOU O CAMINHO, A VERDADE E A PORTA DE TODO SER.

Este caminho, verdade e porta, como disse Jesus, conduzem ao Reino Interno. "Ninguém vem a meu Pai senão por mim. Se me tendes conhecido (a EU SOU) conhecereis também a meu Pai, o Absoluto. EU ESTOU EM MEU PAI E O PAI, EM MIM."

345

EU SOU O QUE O CRIADOR É. LOGO:

EU SOU UNO COM O PAI E FAÇO, NESTE MUNDO, A VONTADE E AS OBRAS DO PAI.

"Em verdade, em verdade, vos digo: Quem me tem visto (dentro de si mesmo) viu ao Pai e quem crê em mim (EU SOU A PRESENÇA), esse fará também as obras que Eu faço, e as fará ainda maiores; o que pedirdes em meu nome, isso farei, para que o Pai seja glorificado no Filho. Se me pedirdes alguma coisa em meu nome, Eu o farei." (Medite o discípulo na promessa do — EU SOU — e no que se segue). "Se me amais, guardareis meus mandamentos e eu rogarei ao Pai que vos dará o Espírito da Verdade (A ILUMINAÇÃO) que o mundo não pode receber, porque não o reconhece... Naquele dia conhecereis que EU ESTOU em meu Pai, e vós em mim e — EU SOU — em vós. O que me ama será amado de meu Pai, e Eu o amarei e manifestarei a ele e nele. Se alguém me ama, guardará minha palavra e meu Pai o amará, e VIREMOS A ELE E NELE FAREMOS MORADA..."

Medite, concentre-se, amado filho da Luz.

346

EU SOU O QUE O CRIADOR É. LOGO:

EU SOU O PODER QUE SUBMETE TODA POTÊNCIA DESARMÓNICA.

Quanto mais consciente está o discípulo do trabalho deste Grande Poder, mais se torna um sol que depura com seus raios luminosos e força magnética, o ambiente onde habita e encaminha os seres que o acompanham. Voltando-se em particular, para os discípulos: "Ditosos os olhos que vêem o que vedes, porque eu vos digo que muitos profetas e reis quiseram ver o que vedes, e não o viram, e ouvir o que ouvis, e não ouviram..."

347

EU SOU O QUE O CRIADOR É. LOGO:

EU SOU O AMOR DIVINO, MAGNETO INVENCÍVEL QUE ATRAI TODAS AS COISAS QUE DESEJO.

Esta verdade elimina da mente do discípulo todas as limitações para começar a realizar todos os seus desejos, um por um; porque na — PRESENÇA DO EU SOU — acha-se toda a substância de qualquer coisa que o coração possa desejar. Apliquemos o Poder e Potestade desta Grande Lei para nossa saúde perfeita, eterna juventude e beleza, para a glorificação da mente e corpo, e para ascender a nosso elevado Domínio, onde nunca se reconhece o tempo e o espaço.

348

EU SOU O QUE O CRIADOR É. LOGO:

EU SOU A PRESENÇA. DO CORAÇÃO, DO SILÊNCIO, SOLUCIONO TODAS AS COISAS.

Não devemos aceitar o que não queremos, porque temos dentro de nós o privilégio e o poder da Presença do — EU SOU — para corrigir tudo o que não seja perfeito. Devemos pensar sempre que — EU SOU — é a completa atividade perfeita em mim e de mim. Devemos fechar os ouvidos às queixas e lamentações dos homens que não querem compreender a verdade e que gostam de atribuir os efeitos de seus erros a um deus ou demônio. O discípulo para não contaminar-se com essas misérias, deve sempre dizer e afirmar: — EU SOU A PAZ — EU SOU A BOA VONTADE, EU SOU A LUZ DO CRISTO NOS CORAÇÕES.

Nunca se deve discutir coisas discordantes. Deve-se ver a perfeição através e detrás de cada imperfeição.

349

EU SOU O QUE O CRIADOR É. LOGO:

EU SOU A PRESENÇA QUE CONTÉM EM SI O PODER DE EXPANSÃO, SUSTENTO E EMANAÇÃO.

Se o discípulo pode enviar a afirmação em cada hora do dia, toda sua vida, seus trabalhos, pensamentos e sentimentos serão benditos. Porque — EU SOU DEUS EM AÇÃO — governa seu tempo e realiza seus mais íntimos desejos, com a aplicação desta poderosa verdade. Várias vezes ao dia, devemos repetir: — EU SOU A ÚNICA PRESENÇA E INTELIGÊNCIA QUE ATUA.

EU SOU O QUE O CRIADOR É. LOGO:
EU SOU O VERBO.

1) NO PRINCÍPIO ERA O VERBO (EU SOU) E O VERBO ESTAVA EM DEUS; E O VERBO ERA DEUS.

2) Ele estava no princípio em Deus.

3) Todas as coisas foram feitas por Ele e sem Ele não se fez nada do que foi feito.

4) NELE ESTAVA A VIDA, E A VIDA ERA A LUZ (Manifestação) DOS HOMENS.

5) A LUZ BRILHA NAS TREVAS, MAS AS TREVAS NÃO A ENVOLVERAM.

6) HOUVE UM HOMEM, enviado de Deus, de nome João.

7) Veio este a dar testemunho da Luz, para testificar dela e para que todos cressem por ele.

8) Ele não era a Luz, mas veio para dar testemunho da Luz.

9) Esta era a Luz verdadeira, que vindo a este mundo, ilumina todo o homem.

10) Estava no mundo e por Ele foi feito o mundo, mas o mundo não O conheceu.

11) Veio aos seus mas, os seus não O receberam.

12) Mas a quantos O receberam, deu-lhes poder de viver e serem filhos de Deus àqueles que cressem em Seu Nome.

13) Que não do sangue, nem da vontade carnal, nem da vontade de varão, senão de Deus são nascidos.

14) E o Verbo se fez carne e habitou em nós e vimos sua glória, glória como de Unigênito do Pai cheio de Graça e de Verdade.

Discípulo: Para ti foram escritos estes versículos, porque és um dos que O receberam.

Porque o VERBO SE FEZ CARNE EM TI. E sua luz te iluminou e te foi dado o poder de vir a ser filho de Deus.

Medita constantemente nestes 14 versículos; que sejam tua oração de cada dia. Eles te convencerão e te afirmarão em tua Divindade.

EU SOU O VERBO. EU SOU COM DEUS. EU SOU DEUS. EU SOU A PRESENÇA QUE FEZ TODAS AS COISAS, E SEM ELA NÃO SE FEZ NADA DO QUE FOI FEITO. Aplica esta afirmação em ti. Estes são os testemunhos da Luz. Esta é tua herança do Pai.

João é tua mente consciente convencida de que "Ele que vem atrás de mim (EU SOU a Mente Divina) passou adiante de mim, porque era primeiro do que eu. Pois, de sua plenitude recebemos todos, graça por graça".

Estes 14 versículos encerram todas as inspirações e ensinamentos encerrados em ti, discípulo; sê tu, o Unigênito Individualizado do Pai. Sê tu o Raio de Luz que brilha nas trevas das mentes.

Medita e penetra com teu pensamento até chegar ao trono do — EU SOU — em ti.

"A Deus ninguém O viu jamais;
O Unigênito que está no seio do Pai,
esse no-lo há dado a conhecer".

Se tens seguido as afirmações dadas no decorrer deste curso de um ano, agora estás pleno do gozo do Senhor. — EU SOU EM TI — Se não, repete. Pois te prometo que valerá a pena repetir para chegar a isto: "Quão feliz me sinto ao dizer e sentir: EU E O PAI SOMOS UM SÓ SER."

351

EU SOU O QUE O CRIADOR É. LOGO:
EU SOU A PAZ. MINHA PAZ VOS DOU.

"Não se turbe vosso coração nem se intimide" por termos sido desafortunados em criar desarmonia, desordem ou limitações; de agora em diante devemos chamar a Lei do Perdão para que consuma, por meio da chama da vida, tudo o que temos criado em nosso mundo, de pensamentos errôneos e ações desarmônicas.

352

EU SOU O QUE O CRIADOR É. LOGO:
EU SOU O ALFA E O ÔMEGA, O QUE É, O QUE SERÁ, O QUE VEM, O TODO PODEROSO.

É a Poderosa Presença, amor envolvente, infinito em sua atividade no coração, a alma e o espírito de cada ser. — EU SOU — o Infinito, o Eterno, que nunca teve princípio, nem terá fim. — EU

SOU A TODA PODEROSA Presença Governadora da vida e do mundo. — EU SOU A PAZ, harmonia, coragem que levo à mente e ao ser, através de cada coisa que se apresenta.

353

EU SOU O QUE O CRIADOR É. LOGO:

EU SOU A PRESENÇA. AFIRMO MEU PODER E REINO NO CORAÇÃO E CONSCIÊNCIA DE CADA SER.

Esta verdade é para proteção dos discípulos. Toda esta quantidade de instruções e afirmações que foram dadas não são mais que fragmentos sobre os quais, cada aspirante a Super-Homem deve construir. Sempre devemos recordar: — EU SOU A PRESENÇA INTELIGENTE QUE ATUA EM TODA OBRA. ESTE é o primeiro princípio e com ele nunca poderemos errar o caminho.

354

EU SOU O QUE O CRIADOR É. LOGO:

EU SOU A VIDA ETERNA SEM PRINCÍPIO NEM FIM.

A vida sempre flui e chega a cada ser. Esta vida está em um que é uma parte individualizada. Esta vida somos nós com vestimentas e roupagens que são somente de pouca consideração, até que chegue a vestir o trajo de boda ou sua união consciente com a Presença Divina, e assim terá a Vestimenta Eterna ou seja o Eterno AGORA.

355

EU SOU O QUE O CRIADOR É. LOGO:

EU SOU A PRESENÇA ETERNA DO DIVINO AMOR E DO AMOR DIVINO.

Manter-se firme nesta atitude produz efeitos maravilhosos. O discípulo que usa e sente esta afirmação, cerra todas as atividades mentais externas e abre as internas. Neste estado pode pedir ao — EU SOU — para que o ilumine, ilustre e grave em sua memória todos os ensinamentos internos.

Chamai, sem ânsia e sem tensão, e vos será aberta a porta do coração que conduz à verdade, que vos fará livres e que resolve todo problema.

356

EU SOU O QUE O CRIADOR É. LOGO:

EU SOU A PRESENÇA QUE GOVERNA ESTE CORPO E O SUBMETE.

Dizer — EU SOU — é mover e remover a única Onipotência, Energia Inteligente, PODER E AÇÃO. Devemos controlar nossos desejos para não utilizar esta DIVINA FORÇA em realizações fúteis e egoístas por meio do corpo físico. Quanto maior atenção damos ao corpo tanto mais exigências pedirá. A desarmonia e a enfermidade nunca melhorarão até que tomemos uma atitude positiva e se lhe ordene obediência.

357

EU SOU O QUE O CRIADOR É. LOGO:

EU SOU A PRESENÇA PERFEITA NO CORPO DO HOMEM.

Nunca devemos permitir que nossa atenção descanse nas imperfeições do corpo. As imperfeições são acidentais e demonstram que durante anos, o corpo foi arrastado pela mente carnal para satisfazer gostos e prazeres desarmônicos. O Corpo, templo do Espírito, é a máxima perfeição do — EU SOU PERFEITO — que governa em seu Templo.

358

EU SOU O QUE O CRIADOR É. LOGO:

EU SOU O CRISTO NASCENTE NO CORAÇÃO DE TODO SER.

EU SOU A PAZ E O AMOR EM TODO PENSAMENTO, SENTIMENTO, PALAVRA E OBRA.

"Não deveis julgar. Não deveis criticar", ensinou-nos nosso amado Jesus. Isto significa que não devemos reconhecer e nos deter a examinar nenhuma imperfeição humana. Assim podemos fazer calar a atitude externa e centrar na atividade do Amor e da Perfeição, que nasce sempre no coração do homem.

359

EU SOU O QUE O CRIADOR É. LOGO:
EU SOU A PRESENÇA QUE RESOLVE ESTA SITUAÇÃO HARMONIOSAMENTE.

Sejamos felizes ao sentir esta afirmação. Tudo o que há que se fazer, é trazer para fora a — PRESENÇA DO EU SOU — e deixá-la trabalhar e agir pelo modo mais conveniente. Acaso ao dizer: — EU SOU — não pomos a energia em ação que fluirá para cumprir a ordem? Acaso não disse Jesus: "Pedi e recebereis. Buscai e achareis. Batei e se vos abrirá."?

360

EU SOU O QUE O CRIADOR É. LOGO:
EU SOU A LUZ. EU SOU O AMOR QUE ABRE O CORAÇÃO À LUZ.

Devemos sentir, devemos invocar a Presença, pois, assim se encontra a fé e a confiança no triunfo, sempre e cada vez maior. O discípulo deve saber que o Poder Interno flui quando se faz calar e sossegar o externo e que, só nesta atitude, sentirá um aumento de vigor, sabedoria e iluminação.

Não se pode ter união completa e consciente com o — EU SOU — se a luta externa não cessa. A luz e o amor divinos nos convencem da pouca importância que têm as coisas externas. Os que aplicam conscientemente o — EU SOU — nunca serão rodeados pela desarmonia em seus lares, mundos ou atividades. Devemos suprimir o criticar, o condenar e o julgar; e assim o homem será livre.

361

EU SOU O QUE O CRIADOR É. LOGO:
EU SOU DEUS EM AÇÃO. FAÇO O QUE QUERO E QUERO TUDO O QUE É JUSTO E BELO.

O discípulo deve sentir esta verdade e enviá-la com irradiação consciente tantas vezes quantas puder. Porque — EU SOU DEUS ONIPOTENTE — em todas as partes, governa nos corações e mentes humanas com invencível poder. Isso trará uma felicidade infinita ao discípulo e ao seu ambiente e varrerá todas as sugestões desarmônicas e sinistras.

362

EU SOU O QUE O CRIADOR É. LOGO:
EU SOU A RESSURREIÇÃO E A VIDA.

A esta altura de nosso saber e sentir, já nos podemos dar contas do poder desta afirmação: — EU SOU DEUS EM AÇÃO — sua atividade é a ressurreição do poder da vontade adormecida, latente ou morta nas trevas da ignorância. Lancemos esta afirmação divina do Cristo sobre nossos semelhantes e veremos como desaparecem deles as condições discordantes. O Poder de salvar o mundo está em nossas mãos. O que nos impede de nos lançarmos à obra? — Egoísmo, proveito pessoal? Então, tratemos de falar ao corpo ordenando-lhe que seja forte, e tratemos de submetê-lo à consciência perfeita do — EU SOU — para que seja uma perfeita expressão do Poder Divino. — EU SOU DEUS EM AÇÃO — FAÇO EM MEU CORPO O QUE QUERO DE JUSTO E BELO — modulando a Substância Única, segundo este desejo, e a forma se converte em sutil e transparente de tal forma que obedece à mais leve indicação.

363

EU SOU O QUE O CRIADOR É. LOGO:
EU SOU DEUS EM FORMA CORPÓREA.

Desde agora, já não há criações mentais que ponham obstáculos à compreensão desta verdade. O véu já está rasgado: o que é de Deus, é Deus. O Pai está em mim e eu estou Nele. Sempre, eu e o Pai temos sido Um Só, mas a ignorância com suas criações, me fizeram crer que estava separado de Deus, como se pudesse ter o ser fora Dele. Agora sei: — EU SOU DEUS EM AÇÃO — EU SOU O QUE O CRIADOR É — EU SOU DEUS EM FORMA CORPÓREA.

364

EU SOU O QUE O CRIADOR É. LOGO:

EU SOU ELE. ELE É EU. EU SOU O VERBO QUE SE FEZ CARNE E HABITO EM CADA SER. EU ESTOU AQUI, EU ESTOU ALI.

Cada dia de nossa vida é um dia de graça, porque podemos, com estes poderes, transformar o mundo. Já sentimos nossa responsabilidade para harmonizar e ajudar a humanidade. Já somos elevados. "Se Eu me elevar atrairei a todo ser vivo", disse Jesus. Temos que bendizer sempre e viver Seu amor, e manifestá-Lo para que sejamos filhos de nosso Pai Celestial, e assim nos convertemos em ... — EU SOU A PORTA ABERTA QUE NENHUM HOMEM PODERÁ FECHAR — O ódio nunca foi curado pelo ódio e nunca o será. A condenação e a crítica nunca curaram nossos semelhantes, porque: Aquilo em que mantemos nossa atenção, o estamos qualificando e atraindo para atuar e habitar em nosso mundo. Então não podemos desejar, pensar, falar, e agir senão com amor.

365

EU SOU O QUE O CRIADOR É. LOGO:
EU SOU O AMOR NESTE SER.
EU SOU A ENERGIA NESTE SER.
EU SOU A ESPERANÇA NESTE SER.
EU SOU A CARIDADE NESTE SER.
EU SOU O EQUILÍBRIO EM CADA SER.
EU SOU A SAÚDE EM CADA SER.
EU SOU DEUS EM AÇÃO NESTE SER.

O discípulo deve tratar de, a cada dia, fazer feliz a um semelhante. É preferível que seja um inimigo. Seguramente, no princípio, é duro; mas, depois verá que a inimizade é uma criação de seu próprio egoísmo e de sua mente pessoal.

O discípulo ao dizer: — EU SOU — deve sentir-se Deus, e em Deus não pode caber o sentimento de rancor, ódio ou inimizade. Para o caso, deve usar:

EU SOU — EU SOU DEUS — EU SOU PERDÃO — EU SOU AMOR.

Fim.

FONTES:

Discursos EU SOU — "Saint Germain"

Meu corpo e meu Sangue — "Issa"

Física Mental — "Deng Li Mey"

O.S.R.C. — "De boca a ouvido"

C.D.L.M. — "De boca a ouvido"